UM
DIA
AINDA
VAMOS
RIR DE
TUDO
ISSO

RUTH MANUS

UM DIA AINDA VAMOS RIR DE TUDO ISSO

SEXTANTE

créditos dos poemas: p. 12: Mãos dadas in *Sentimento do Mundo*, de Carlos Drummond
de Andrade – Cia das Letras, São Paulo, SP; carlos drummond de andrade © graña
Drummond; www.carlosdrummond.com.br; p. 108: Quando o mundo abandonar
meu olho / Biografia do Orvalho in *Meu quintal é maior que o mundo* de Manoel
de Barros – Alfaguara, Rio de Janeiro, RJ © by herdeiros de Manoel de Barros;
p. 158: O poeta © Vinicius de Moraes. Os direitos relativos ao uso do poema
de autoria de Vinicius de Moraes foram autorizados pela VM Empreendimentos
Artísticos e Culturais Ltda., ©VM Cultural; p. 204: Clarice Lispector, e herdeiros.

edição: Nana Vaz de Castro

revisão: Juliana Souza e Renata Dib

projeto gráfico, diagramação e capa: Natali Nabekura

imagens de capa: olaser / iStockphoto (escada), 4x6 / iStockphoto (mulher)

impressão e acabamento: Lis Gráfica e Editora Ltda.

CIP-BRASIL. CATALOGAÇÃO NA PUBLICAÇÃO
SINDICATO NACIONAL DOS EDITORES DE LIVROS, RJ

M251d   Manus, Ruth
       Um dia ainda vamos rir de tudo isso/ Ruth Manus; Rio de Janeiro:
       Sextante, 2018.
       256p.; 14 x 21cm.

       ISBN 978-85-431-0583-3

       1. Crônica brasileira. I. Título.

17-46873   CDD: 869.8
                           CDU: 821.134.3(81)-8

Todos os direitos reservados, no Brasil,
por GMT Editores Ltda.
Rua Voluntários da Pátria, 45 – Gr. 1.404 – Botafogo
22270-000 – Rio de Janeiro – RJ
Tel.: (21) 2538-4100 – Fax: (21) 2286-9244
E-mail: atendimento@sextante.com.br
www.sextante.com.br

Aos meus pais.

*Por serem exatamente o que são. Por me criarem
exatamente como me criaram. Por me darem toda estrutura,
tanta estrutura. Por fazerem com que eu possa sentir
de tudo, tentar caminhos, voar para longe, sabendo
que tenho, sempre tive e sempre terei suporte. Por
me darem a chance rara, o quase luxo, de apenas viver.
Porque todo o resto eles fizeram por mim.*

Sumário

Apresentação

APRENDI A ESCREVER aos 5 anos. Mas foi só aos 25 que dei para a escrita o espaço que ela merecia na minha vida. Aos 29, ela se instalou nos meus dias como aquele genro folgado que domina o sofá na casa dos sogros. Ainda bem. Ao contrário do genro, ela é muito bem-vinda por aqui.

Muita gente fez parte disso. Tenho certeza de que sem eles eu não teria ido nem até o segundo parágrafo. Mas ando sempre acompanhada dessa tal de sorte, que aparece muitas vezes na forma de pessoas que caminham ao meu lado.

Gostaria de ser mais segura, confesso. Mas não. Eu só funciono aos trancos. Sou aquela que precisa de um empurrão para cair na piscina gelada, a que precisa de mil confirmações para acreditar que está no caminho certo e que, ainda assim, tem um "Será?" persistente, alojado no alto do ombro, sussurrando dúvidas toda hora no ouvido.

Em 2015 publiquei meu primeiro livro: *Pega lá uma chave de fenda – e outras divagações sobre o amor*. Agora lanço esta pequena coletânea: textos do blog no *Estadão*, da coluna no "Caderno 2", do *Estadão*, da coluna no *Observador*, em Portugal, e mais um belo apanhado de inéditos.

É uma sensação curiosa. Uma boa confirmação que vem em forma de vento, afastando meu fantasma do "Será?" para mais longe. É mesmo bom saber que o que eu escrevi fez sentido para as pessoas, foi bem-vindo em seus dias e, agora, volta às minhas mãos, nestas páginas que sorriem para mim.

Admito que há uma pequena angústia que sei que nunca me

abandonará. E da qual eu talvez nem queira me livrar. Sempre, sempre, sempre penso: "O tempo que as pessoas gastam lendo o que eu escrevo deveria estar sendo gasto com Drummond. García Márquez. Manoel de Barros. Vinicius. Clarice." A representação mais genuína da culpa.

Foi essa sensação que me fez pensar muito, até ter a ideia de denominar o capítulo de textos sobre a vida moderna de "Sentimento do mundo", o capítulo de textos sobre a minha história de "Viver para contar", o de causas que abraço de "Meu quintal é maior do que o mundo", o de viagens e outras andanças de "O caminho para a distância" e os de amores de "Felicidade clandestina".

Foram alguns dos livros que me transformaram na pessoa que sou. Busquei em suas páginas alguns trechos que mostrassem um pouco de como cheguei até aqui. É uma pequena forma de agradecer por essa condução, tão suave quanto potente, que os escritores da nossa vida nos proporcionam.

Mas agora, fantasmas à parte, é hora de comemorar. Tudo o que está aqui foi embrulhado para presente e, sim, eu estou muito orgulhosa disso. Sejam bem-vindos, divirtam-se e voltem sempre.

É uma honra estar nas suas mãos, na sua mesa de cabeceira, na sua mochila, na sua estante e nas preciosas horas vagas do seu dia.

Obrigada por isso.

– RUTH

Sentimento do mundo

Não serei o poeta de um mundo caduco.
Também não cantarei o mundo futuro.
Estou preso à vida e olho meus companheiros.
Estão taciturnos mas nutrem grandes esperanças.
Entre eles, considero a enorme realidade.
O presente é tão grande, não nos afastemos.
Não nos afastemos muito, vamos de mãos dadas (...)

"Mãos dadas", *in: Sentimento do mundo*
– CARLOS DRUMMOND DE ANDRADE

M EU NOME É RUTH. E por me chamar Ruth, creio que já nasci com 82 anos. Vai ver que veio daí minha obsessão por ler os clássicos, por entender o passado e, quiçá, por acreditar que posso participar dele.

Mas foi o Zé Couto Nogueira, meu professor, meu guru lusitano, quem me disse, um belo dia, que, se me dedicasse sempre a ler os clássicos, eu estaria abrindo mão da literatura do meu tempo, das angústias do meu tempo, dos anseios do meu tempo.

E então entendi que meu amor pelo passado não deveria me impedir de me envolver mais com o presente. Aprendi a olhar meus companheiros. A lhes dar a mão. A não me afastar. O passado continua presente. O futuro também costuma dar as caras.

Mas, enfim, entendi uma das minhas tantas razões para amar Drummond. Porque foi ele quem me disse: o tempo é a minha matéria, o tempo presente, os homens presentes, a vida presente. E uma serenidade imensa invadiu esse meu peito, até então muito angustiado pelas minhas infinitas dívidas com o passado.

A *triste geração que virou escrava da própria carreira*

E RA UMA VEZ uma geração que se achava muito livre.
Tinha pena dos avós, que casaram cedo e nunca viajaram para a Europa.

Tinha pena dos pais, que tiveram que camelar em empreguinhos ingratos e suar muitas camisas para pagar o aluguel, a escola e as viagens em família para pousadas no interior.

Tinha pena de todos os que não falavam inglês fluentemente.

Era uma vez uma geração que crescia quase bilíngue. Depois vinham noções de francês, italiano, espanhol, alemão, mandarim.

Frequentou as melhores escolas.

Entrou nas melhores faculdades.

Passou no processo seletivo dos melhores estágios.

Foram efetivados. Ficaram orgulhosos, com razão.

E veio pós, especialização, mestrado, MBA. Os diplomas foram subindo pelas paredes.

Era uma vez uma geração que, aos 20, ganhava o que não precisava. Aos 25 ganhava o que os pais ganharam aos 45. Aos 30 ganhava o que os pais ganharam a vida toda. Aos 35 ganhava o que os pais nunca sonharam ganhar.

Ninguém podia detê-los. A experiência crescia diariamente, a carreira era meteórica, a conta bancária estava cada dia mais bonita.

O problema era que o auge estava cada vez mais longe. A meta estava cada vez mais distante. Algo como o burro que persegue a cenoura ou o cão que corre atrás do próprio rabo.

O problema era uma nebulosa na qual já não se podia distinguir o que era meta, o que era sonho, o que era gana, o que era ambição, o que era ganância, o que era necessário e o que era vício.

O dinheiro que estava na conta dava para muitas viagens. Dava para visitar aquele amigo querido em Barcelona. Dava para realizar o sonho de conhecer a Tailândia. Dava para voar bem alto.

Mas sabe como é, né? Prioridades. Acabavam sempre ficando ao invés de sempre ir.

Essa geração tentava se convencer de que podia comprar saúde em caixinhas. Chegava a acreditar que uma hora de corrida podia mesmo compensar todo o dano que fazia diariamente ao próprio corpo.

Aos 20: Ibuprofeno. Aos 25: Omeprazol. Aos 30: Rivotril. Aos 35: stent. Uma estranha geração que tomava café para ficar acordada e comprimidos para dormir.

Oscilavam entre o sim e o não.

Você dá conta? Sim. Cumpre o prazo? Sim. Chega mais cedo? Sim. Sai mais tarde? Sim. Quer se destacar na equipe? Sim.

Mas, para a vida, costumava ser não.

Aos 20 eles não conseguiram estudar para as provas da faculdade porque o estágio demandava muito.

Aos 25 eles não foram morar fora porque havia uma perspectiva muito boa de promoção na empresa.

Aos 30 eles não foram no aniversário de um velho amigo porque ficaram até as 2 da manhã no escritório.

Aos 35 eles não viram o filho andar pela primeira vez. Quando chegavam, ele já tinha dormido; quando saíam, ele não tinha acordado.

Às vezes, choravam no carro e, descuidadamente, começavam a se perguntar se a vida dos pais e dos avós tinha sido mesmo tão ruim como parecia.

Por um instante, chegavam a pensar que talvez uma casinha pequena, um carro popular dividido entre o casal e férias em um hotel-fazenda pudessem fazer algum sentido.

Mas não dava mais tempo. Já eram escravos do câmbio automático, do vinho francês, dos resorts, das imagens, das expectativas da empresa, dos olhares curiosos dos "amigos".

Era uma vez uma geração que se achava muito livre. Afinal, tinha conhecimento, tinha poder, tinha os melhores cargos, tinha dinheiro.

Só não tinha controle do próprio tempo.

Só não via que os dias estavam passando.

Só não percebia que a juventude estava escoando entre os dedos e que os bônus do final do ano não comprariam os anos de volta.

Agressividade is the new black

The new black. Expressão inglesa que designa uma nova tendência, algo que está tão na moda que poderia até mesmo funcionar como um pretinho básico. Adoraria que este fosse um texto sobre jaqueta jeans, mas não é.

"Se prepare, Ruth, a agressividade nas redes sociais é algo que você não pode imaginar."

Foi o que me disseram pouco antes da estreia do blog. Eu, fingindo não estar com medo, balancei a cabeça positivamente como quem diz "Tô sabendo, tô sabendo". Mas, como diria Compadre Washington, "Sabe de nada, inocente".

Após a publicação do meu segundo texto quase desisti de tudo. Eu realmente não tinha dimensão do nível sem cabimento que as pessoas poderiam atingir para atacar algo que na maioria das vezes nem mesmo as provocou.

Há muito tempo venho tentando digerir, mas não consigo. Achava que a agressividade vinha só de alguns leitores meio pancadas. Engano meu. Ela vem de todo lado: de quem lê, de quem não lê, de quem lê só o título e até de quem escreve.

E eu pensava que isso acontecia porque o computador torna as pessoas intocáveis, assim como os carros, e que, por isso, elas canalizavam toda a sua agressividade para as redes sociais ou o trânsito.

Engano meu. Está generalizado, como uma peste que se espalha pelo país, e ninguém faz nada para conter. Mesa de bar, fila de farmácia, ponto de ônibus. Discursos de ódio e ignorância estão por toda parte.

Acho que existe um erro de conceito. As pessoas passaram a utilizar a agressividade como um artifício para aumentar a própria autoestima.

Como as pessoas se sentem politizadas? Sendo agressivas.

Como as pessoas se sentem informadas? Sendo agressivas.

Como as pessoas se sentem engraçadas? Sendo agressivas.

Como as pessoas se sentem menos ignorantes? Sendo agressivas.

Entendam: pessoas inteligentes não jogam pedras. E pessoas equilibradas não berram, nem mesmo via Caps lock. Sempre me vem à mente aquela passagem de *Sagarana*, em que Augusto Matraga diz que vai para o céu "nem que seja a porrete". As pessoas tentam reduzir a violência com agressividade. Tentam melhorar o país com agressividade. Tentam educar os filhos com agressividade. Tentam fazer justiça amarrando pessoas em postes.

"Pra pedir silêncio eu berro, pra fazer barulho eu mesma faço." Será que um dia essa gente vai entender que o antônimo de agressividade não é passividade?

Mas é assim que está sendo.

Porque argumentar dá muito trabalho. Pesquisar então, nem se fala. Articular um discurso está fora de questão. Tentar persuadir é bobagem. E tolerar... Tolerar é um verbo morto. Agressividade is the new black.

P.S.: Ruth, repita comigo o mantra "Eu não leio comentários, eu não posso ler comentários, eu não vou sobreviver se ficar lendo comentários". Ok, vamos ler só um comentário.

30 minutos na vida de uma pessoa com dificuldade de concentração

MINUTO 1: VOU me sentar aqui nessa cadeirinha, abrir o computador e responder logo aqueles e-mails atrasados. Em 5 minutos acabo com isso.

MINUTO 2: Esse teclado está mesmo sujo. Preciso limpar. Deixa eu ver se tem um lenço de papel aqui na gaveta (…) Nossa, que gaveta bagunçada! HAHA, GENTE, OLHA ESSA FOTO. De 2002. No Guarujá. Deixa eu tirar uma foto dessa foto e mandar pra minha irmã.

MINUTO 3: (no WhatsApp)
PESSOA: HAHAHA LEMBRA DESSE DIA?
IRMÃ DA PESSOA: hahahahahahaha não foi o dia que você passou mal porque comeu 3 churros?
PESSOA: Isso!!! Churros do Gordo, comi um de doce de leite, um de chocolate e um de goiabada!!!
IRMÃ DA PESSOA: já nos falamos direito, que estou em reunião.

MINUTO 4: Que que eu estava procurando nessa gaveta mesmo? Enfim, não lembro. Vou responder logo aqueles e-mails.

MINUTO 5: Deixa só eu ver as notícias antes.

MINUTO 6: Gente. E essa história do cara que desapareceu no Acre e deixou livros criptografados e uma estátua do Giordano Bruno?

MINUTO 7: Google: Giordano Bruno

MINUTO 8: Muito interessante mesmo a filosofia do Giordano Bruno. O Gui se interessaria muito por isso. Vou mandar pra ele.

MINUTO 9: OI GUIIIIIII

MINUTO 10: Deixa eu responder os e-mails aqui.

MINUTO 11: Olha, chegou um e-mail da livraria. Hoje tem promoção--relâmpago on-line. Ai, meu Deus. Não vou nem abrir. Vou responder meus e-mails aqui que eu já tô atrasada.

MINUTO 12: Vou só pegar uma aguinha.

MINUTO 13: Melhor comer alguma coisa também, senão não aguento até o almoço. Um iogurte.

MINUTO 14: Bom esse iogurte. Será que tem muita gordura? Deixa eu dar uma olhadinha nos ingredientes e na tabela nutricional.

MINUTO 15: Google: Gordura saturada é a que faz bem ou mal?

MINUTO 16: Os e-mails. Vou responder.

MINUTO 17: Abro o primeiro e-mail. O remetente se chama José Carlos Bahia.

MINUTO 18: BAHIA!!! Gente, eu esqueci de olhar aquela promoção que tinha no site das passagens!!!

MINUTO 19: Decolar.com

MINUTO 20: Acabou a promoção, droga.

MINUTO 21: Mas olha esse pacote pra Patagônia... Glaciar Perito Moreno... Glaciares Viedma e Upsala... Laguna Nimez...

MINUTO 22: Google: temperatura Patagônia outubro

MINUTO 23: (WhatsApp)

PESSOA: Amor, o que você acha de irmos para a Patagônia em outubro?

AMOR: A gente não tá guardando o dinheiro da obra?

PESSOA: Ah, é.

MINUTO 24: Deixa eu responder aqui pro José Carlos Bahia.

MINUTO 25: Tinha ficado de ligar pra minha mãe. Não posso deixar minha mãe esperando.

MINUTO 26: OI MÃÃÃEEEE

MINUTO 27: PERAÍ MÃE QUE EU QUERO TE CONTAR DE UMA RECEITA DE BERINJELA QUE VI NA INTERNET TÔ ABRINDO O VÍDEO AQUI NO COMPUTADOR RAPIDINHO

MINUTO 28: Tastemade Brasil

MINUTO 29: Deixa eu voltar aqui pro e-mail.

MINUTO 30: "Ok, José Carlos, fico no aguardo". Pronto. Agora só falta responder os outros 6 e-mails. Em 5 minutinhos resolvo isso.

Trabalhei muito, dormi pouco, comi mal e me sinto diariamente culpado

COMECEI O DIA furiosa comigo porque não fui à academia. Era para eu ter acordado mais cedo, enfiado aquele legging e corrido 5km. Não consegui, não fiz nada disso. Enfiei uma fatia de pão na torradeira e me culpei por ter colocado um pouco de manteiga em vez de uma ricota magra sem sal.

Olhei para a minha agenda e direcionei o olhar diretamente para todas as pendências. Documentos que não enviei, faturas que não emiti, contratos que não revisei, e-mails que não respondi, ligações que não retornei. Não fazia nem meia hora que eu estava acordada e já era uma lamentável devedora de mim mesma.

Entrei no banho com a cabeça acelerada e uma dose semi-invisível de raiva de mim mesma porque nunca consigo cumprir minhas metas intermináveis. Parecia que eu não havia feito nada na véspera, quando, na verdade, fiz muito. Percebi que havia algo de muito errado nisso e disparei mensagens nos meus grupos de amigos perguntando se eles sentiam a mesma coisa.

As respostas foram unânimes: todos se sentem absolutamente devedores de si mesmos. Entramos numa lógica cruel que funciona mais ou menos assim: praticamente não importa o que a gente fez de bom, só importa aquilo que ficou faltando. Tudo o que ficou faltando grita dentro da nossa cabeça como se estivesse escrito em caixa-alta.

Hoje eu trabalhei muito. MAS NÃO FUI À ACADEMIA. Hoje fui à academia. MAS COMI AQUELAS PORCARIAS NO ALMOÇO. Hoje eu comi bem. MAS NÃO ENTREGUEI O RELATÓRIO. Hoje eu terminei o relatório. MAS NÃO LIGUEI PARA A MINHA AVÓ. Hoje eu falei com a minha avó. MAS NÃO RESOLVI AQUELAS COISAS DO BANCO. Hoje eu fui ao banco. MAS ACABEI TRABALHANDO POUCO. Hoje trabalhei muito. MAS DORMI POUCO. Hoje dormi bem. MAS ACORDEI TARDE. Começa a dar uma certa falta de ar, uma angústia que se instala entre o estômago e a garganta e que nos diz que somos pouco, que fazemos pouco, que concretizamos pouco. É como se fôssemos chefes de nós mesmos – e aqueles chefes da pior espécie, que reconhecem não os trabalhos bem-feitos e as tarefas finalizadas, mas apenas o que ficou pendente. Um chefe que berra palavras de frustração na nossa orelha e que em nada contribui para melhorarmos.

Temos muita coisa para fazer, não tem jeito. E talvez o pior não seja termos tudo isso, mas sim lidarmos tão mal com a nossa rotina e com a finitude da nossa capacidade. Não me parece que a solução seja sempre a de nos esquivarmos das tarefas (embora às vezes seja necessário). O que me parece necessário é pararmos de sentir tanta culpa. Não somos máquinas e nunca funcionaremos com perfeição.

Precisamos parar de nos comparar com a amiga que posta foto na academia às 6 da manhã. Com o primo que milagrosamente consegue ser o filho perfeito. Com a vizinha que tem uma casa impecável. Com o colega que nunca sai da linha na alimentação. Com aquele casal de pais que parece nunca errar. Com a amiga que está sempre vestida como capa de revista.

A gente só precisa tentar ser a nossa melhor versão. E a nossa melhor versão não vive nesses picos de estresse nem com essa angústia instalada. Temos que ser mais compreensivos com as nossas pequenas grandes falhas. Deveríamos reservar a caixa-alta para tudo o que foi feito e não para o que ficou faltando. Porque não parece razoável que justamente nós sejamos aqueles que são mais cruéis e mais duros conosco.

Em que momento nós deixamos de gostar do que é simples?

Há algumas semanas, tirei uma tarde de quinta-feira para passear com a minha enteada, que estava de férias. Cheguei em casa e perguntei o que ela queria fazer. Imaginei alguns pedidos: cinema, zoológico, parque de diversões. Em vez disso, ela perguntou: podemos andar de ônibus? Eu disse que sim e perguntei para onde. Ela não entendeu a pergunta, uma vez que para ela o programa divertido era andar de ônibus, simplesmente. Foi o que fizemos.

Isso me lembrou um sábado há quase dez anos, no qual levei minha sobrinha mais velha a uma sorveteria incrível, que tinha acabado de ser aberta no bairro. Havia uma linda varanda, mesas coloridas, trocentos sabores para escolher. Entrei na fila, fiquei um pouco horrorizada com os preços, mas perguntei a ela o que iria querer. Ela respondeu sem pestanejar "Picolé de uva". Eu expliquei que ali não havia picolé de uva, mas, sim, outras coisas bem mais gostosas. O ar de decepção dela fez com que eu não pensasse duas vezes antes de atravessar a rua a caminho da padaria para terminarmos nossa tarde tomando sorvete de palito.

Na mesma linha, veio a minha sobrinha caçula de 1 ano e meio, que, em meio a seus tantos brinquedos coloridos e sonoros – que estão muito longe de custar pouco –, elegeu como seu favorito um frasco de plástico vagabundo dentro do qual há alguns grãos de feijão. Na concepção dela, nada pode ser mais interessante do que aquilo, nem Fisher-Price, nem Chicco, nem nada.

Depois foi o meu afilhado de 8 anos, que disse que ainda não sabe se, quando crescer, vai ser "aquelas pessoas que cuidam de tartarugas marinhas antes de elas voltarem pro mar" ou lixeiro, para poder andar pendurado no caminhão à noite. O que eu deveria dizer para ele? Que ser advogado como eu seria bem mais divertido?

Comecei a me perguntar em que momento da vida nós deixamos de ter tanto apreço pela simplicidade. Não me parece que tenha somente a ver com a necessidade de ganhar dinheiro, com as novas experiências ou com o paladar apurado. Parece-me que tem muito mais a ver com a preocupação que passamos a ter com os olhares alheios e com os hábitos que nos são "impostos" por aqueles com quem convivemos.

O carro, o restaurante, o vinho, a bolsa. Quanto disso nós escolhemos de verdade, por puro e simples gosto ou prazer? Não sei, sinceramente. Será que o que nos incentiva (ou nos amarra, ou nos obriga) não é a importância que passamos a dar para a opinião daqueles que nos cercam? O famoso "mas o que vão pensar de mim?", que nós temos de forma tão intensa e as crianças simplesmente não têm.

Num dado momento, já não sabemos, dentre as coisas que temos e a rotina que vivemos, o que está ali porque nos agrada e o que está ali porque, supostamente, faz bem para a nossa imagem. Outro dia, alguém me disse: "Você ainda vai aprender a gostar de ostras." Eu não quero aprender a gostar de ostras. Por que eu deveria aprender a gostar de ostras? Minha cota não pode ser em cachorro-quente? Ou em coxa de frango? Será que não pega bem?

Talvez nós possamos investir num exercício diário de resgate da simplicidade. Isso é muito útil para a vida – sobretudo em um cenário de crise. Redescobrir nossos prazeres sem custo, exercitar nossa capacidade de não ligar para o que os outros pensam, bem como de não julgar as decisões alheias.

Sair a pé, deixar o carro na garagem – ou até se desfazer dele –, tomar cerveja no balcão da padaria, encontrar um amigo sem precisar de um belo jantar à frente de ambos, comprar roupa sem marca, sentar-se na grama, comer milho na espiga. A vida deveria ser mais simples do que é. Há quem consiga concretizar essa proeza. E nós, adultos, estamos sempre tentando mostrar-lhes o que há de bom no mundo. Mas são esses pequenos que sabem viver muito melhor do que nós. Só nós que não percebemos.

E se eu chegar aos 35 sem estar com a vida resolvida?

J Á OUVI FALAR que a crise dos 30 é pior do que a dos 40. Não sei, por enquanto vou lidando com as crises dos 27. Mas sinto que há realmente algo de estranho no ar. As pessoas fazem 30 e alguns anos e parecem começar a achar que estão automaticamente com a corda no pescoço. Acham que já deveriam ter formado família, ficado ricos (ou pelo menos construído um bom patrimônio) e resolvido qualquer outro penduricalho da vida.

Parece que os 30 deixaram de ser a linha de largada para a vida e passaram a ser uma espécie de reta final, como se os 40 fossem o princípio do fim.

Ontem conversava com uma colega do doutorado de 33 anos, que se julgava atrasadíssima na vida por não estar plenamente satisfeita com a carreira e por ter terminado há uns meses o relacionamento no qual ela apostava todas as suas fichas. Nós temos seis anos de diferença, e ela se referia a mim como uma jovem na flor da idade e a si própria como alguém já quase sem esperanças. Os seis anos subitamente se transformaram em vinte.

É engraçado como as pessoas aceitam que os tempos mudaram para muitas coisas: tecnologias, carreira, viagens, planos. Mas ainda se cobram um ritmo de vida semelhante ao de seus pais. Quantas vezes ouvimos "Na minha idade, meus pais já tinham dois filhos e dez anos de casados...". Lindo, gente. Mas é a história deles, não a nossa.

Outro dia, a amiga mais bonita que tenho, do alto dos seus anciões 34 anos, me perguntou: "Ru, mas você sinceramente acha que um dia eu ainda vou encontrar alguém?" Amigos normais diriam: "Claro! Lógico que vai!" Eu só consegui dizer: "Vá à merda." Deus do céu! Ela é deslumbrante, ridiculamente inteligente, divertida, ganha rios de dinheiro e, depois de um divórcio e de ver os 35 anos se aproximando, parece ter se colocado num posto de derrota e ceticismo. Duas semanas depois ela encontrou um engenheiro bonitão estrangeiro e os dois estão felizes da vida. Fiquei satisfeita por tê-la mandado à merda.

O lance é que as pessoas só sabem se comparar com os amigos que formaram a vida de propaganda de margarina. Não se comparam com o amigo divorciado e sem grana, com a colega de trabalho que está rica e nunca sai com ninguém, com o primo que não consegue sustentar a família linda que tem, com a chefe que tem um casamento feliz mas que não está nada feliz com a carreira... Enfim, com os pobres mortais, como todos nós.

E muita gente nem se questiona se quer mesmo a vida de propaganda de margarina. Se realmente quer formar família, comprar um Corolla prata e trabalhar de roupa social. Se quer, beleza, vá atrás. Se não, vá atrás do que te faz feliz. Mas acima de tudo: vá com calma.

Eu sei que existem as muito legítimas preocupações com o relógio biológico, com as demandas do mercado, com as expectativas dos que nos cercam... Mas eu peço aos meus amigos trintões que simplesmente parem de achar que estão velhos, atrasados, devedores do tempo. Vocês estão no auge, no início da caminhada, são credores da vida.

E pode até ser que aos 35 eu tenha essa mesma crise. Mas espero lembrar que 35 é pouco. Que 38 também. E que os 40, definitivamente, não são o encontro com a morte, a beira do abismo. Espero lembrar que a vida não é para ser uma corrida contra o tempo. Que a gente tem que ir andando, dando umas reboladas, umas tropeçadas e tal. E vai rindo, vai pensando, vai vivendo. Vivendo. Porque enquanto o futuro está lá, a vida está rolando aqui.

Por uma vida menos gourmet

Fim de ano, correria, 14h40, entrei na lanchonete, pedi um cheese bacon ("Ui, ela come cheese bacon, que moça indisciplinada").

O garçom me perguntou se era com cheddar, queijo prato, emmental, brie ou queijo da Serra da Canastra. "Ahn... pode ser... prato." E o pão? Quer no pão de hambúrguer tradicional, no nosso pão exclusivo de cereais, no pão com aroma de ervas ou no pão do chef, que é torrado com manteiga de alho e coberto com chia? "Normal, moço, pão normal." Ok. Vai desejar nossa maionese especial com gengibre? Ou nosso ketchup de goiaba? Ou molho de mostarda de Dijon com mel de laranjeira?

Olha. Eu adoro comer bem. E acho a cozinha uma arte. Mas às vezes, só às vezes, a gente quer uma vida que não seja gourmet. Uma vidinha limitada a queijo, bacon, carne e pão – pura e simplesmente. Porque às vezes o gourmet não é bem-vindo e frequentemente o gourmet cansa.

Mas o grande problema foi que o conceito de gourmet não parou no circuito dos restaurantes. Ele se espalhou como uma praga por incontáveis setores da nossa vida. Na verdade, acho que o processo de gourmetização acabou por contaminar estabelecimentos comerciais, serviços, lares e – o pior – pessoas.

Outro dia cheguei a um churrasco dos amigos de sempre, gente que sempre foi normal. Como de costume, cada um levava o que fosse beber. Levei um bom e velho pack de cerveja. Fui abrir o isopor e dei de cara com um monte de suco de cranberry, de lichia, de maçã verde em cima do gelo, ao lado de uma vodca Grey Goose. Ah, cara, que preguiça, para com isso.

Não satisfeitos, resolveram gourmetizar as roupas. As peças ganharam nomes estranhos. Blusa de barriga de fora virou *cropped*. Encheram as Havaianas de strass (será que ainda pode falar strass? Acho que eu não usava essa palavra desde 2002). Enfiaram um GPS na sola do tênis. Meus amigos falam de roupa mencionando nomes de estilistas que seguem no Instagram. Não entendo mais nada.

Gourmetizaram os imóveis. Os anúncios das construtoras parecem críticas do Clodovil. "Apartamento tendência de charme com localização exclusiva no coração da Zona Sul, solário com projeto paisagístico de Vanderwalysson Salomão, piscina aquecida cromoterápica com cascata gourmet, espaço gourmet com exclusivo forno de pizza gourmet, varanda gourmet com grelha gourmet (churrasqueira não é gourmet) e porteiro gourmet 24h." É tudo exclusivo, é tudo gourmet. Socorro.

Gourmetizaram a vida das crianças. No dia em que deparei com a papinha gourmet quase tive uma síncope. Fazem versões kids de roupas de adulto. De roupas carésimas de adultos. As festas de aniversário passaram a ter brigadeiro de chocolate belga em vez de ter brigadeiro rosa – fica a dica: crianças não gostam de chocolate belga.

Gourmetizaram a barba. A barba, meu Deus! Nem a barba ficou de fora! A barba foi alisada, milimetricamente aparada, colocaram bálsamo de *Aloe vera*, silicone nas pontas, passaram a penteá-la a cada meia hora com perfume especial para barbas e a fazer um design exclusivo ("design exclusivo" é uma das piores expressões do universo) com uma cera para barbas vinda da Austrália, enriquecida com banha de canguru albino.

Acho que a vida é muito curta para esperarmos pegarem um maçarico para caramelizar o açúcar que está em cima do chantilly que está em cima da camada de chocolate (belga, claro) que está em cima do mocaccino gourmet feito com café exclusivo cultivado em Ruanda, provavelmente por mão de obra escrava.

Eu quero uma vida menos gourmet. Quero que parem de me dar copo quando eu abro uma lata de cerveja, quero mais cadeira de plástico, quero Havaianas de tira normal, sola normal, preço normal, quero queijo coalho com fuligem, quero amigos que não analisem a marca do carro, o rótulo do vinho e a loja onde comprei minha calça, quero crianças com os pés sujos de brincar no quintal, quero um apartamento no qual bata sol, que tenha um valor de aluguel aceitável e vizinhos que não gritem muito. Não precisa ter varanda gourmet não.

Quero, talvez uma vez por mês ou a cada dois meses, uma noite gourmet. Prestar atenção nos sabores, me surpreender com a combinação de kiwi com carne de porco ou de agrião com banana-nanica. Fora isso, quero só dias felizes. E dizem por aí que não há felicidade maior do que precisar de pouco.

Melhor amigo e a vida adulta

NA IDADE EM QUE ME ENCONTRO pode-se falar, sem problemas, em chefe, IPVA, rodízio – de veículos e de carne –, chá de cozinha, relatório, afilhado, celulite, bônus, contas a pagar, paquera, risoto, cachaça.

Mas será que a expressão "melhor amigo" não deveria ter ficado no passado, na mesma época em que deixamos palavras como recreio, ficante, fichário, matinê, branquinho, grafite 0.7, cantina, lição de casa, 1ºB?

Deveríamos, então, para ser pessoas maduras, ter padronizado as relações, chamando todos simplesmente de amigos, diferenciando, no máximo, aqueles que são meros colegas?

Se for assim, então peço licença para renunciar à minha maturidade.

"Melhor amigo" e "melhor amiga" não saem do meu vocabulário nem sob tortura.

Amigos são uma maravilha. Indispensáveis. O tempero da vida. Mas sejamos justos: alguns amigos não podem ser apenas mais uma pessoa querida na lista da nossa vida. Alguns precisam de destaque. Merecem um posto privilegiado. Um título de honra, acima do bem e do mal.

Porque quando a gente se refere a eles para um estranho, é preciso dizer "melhor amigo" para colocá-los no seu devido lugar. Eles não são iguais aos outros, por melhores que os outros sejam.

Porque amigo é quem diz "Te ajudo a resolver isso". Melhor amigo diz "Vamos resolver isso".

Porque amigo vai estar lá quando você chamar. Melhor amigo vem sem você pedir.

Porque amigo te ouve. Melhor amigo te lê.

Porque pra amigo você conta. Melhor amigo já sabe.

Porque a gente tem um amigo que é o melhor para conversar sobre trabalho. Outro sobre livros. Outro sobre dinheiro. Outro sobre viagens. Mas sobre a nossa vida, nossos rumos e nossas decisões, sobre o que realmente importa... É ele. Não tem outro.

E não importa se vocês seguiram rumos completamente diferentes: um casou e outro vive na noite, um trabalha no mercado financeiro e outro faz doutorado sobre libélulas, um mora em Osasco e outro em Berlim. Não importa. Existe uma identidade que nenhuma mudança da vida pode abalar.

É um afeto consolidado, imune a tempestades e ventanias. E acima de tudo: imune ao tempo.

Melhor amigo é uma das poucas coisas da vida que não tem medo do tempo. As paixões têm medo do tempo, as carreiras também, assim com as peles e os sonhos. Mas se é melhor amigo, é completamente atemporal.

Estar com ele é como voltar a estar com aquilo que somos de verdade. É quando estamos despidos de qualquer máscara que o dia a dia nos impõe e que, por vezes, esquecemos de tirar ao chegar em casa.

Lembra do anjinho da consciência? É o melhor amigo. E o diabinho da consciência? Também. Melhor amigo é aquele que já é, inevitavelmente, a gente também. É a personificação do quão difícil é, por vezes, identificar a linha tênue que separa o "eu" do "outro".

Nem sempre o melhor amigo é um só. Tem o melhor amigo de infância, de faculdade, do trabalho, do bairro. Não importa. Se recebe o título de "melhor amigo", é porque é o CARA. Não tem discussão.

E, se para ser um verdadeiro adulto é preciso abrir mão disso – que é mais do que uma mera expressão, é uma condição de vida –, aqui estou eu, do alto de toda a minha imaturidade, para falar, de peito aberto, sem nenhum constrangimento, que nos meus melhores amigos vida adulta nenhuma vai poder mexer. São irredutíveis, inegociáveis, inabaláveis. São a infantilidade escancarada da qual vou sempre me orgulhar.

Amizades acabam
por causa de política?

Eu sou uma daquelas pessoas cujas mãos começam a coçar, cuja língua tenta fugir de dentro da boca, cujo peito não lida nada bem com o silêncio em época de eleições. Aliás, não apenas em época de eleições, mas sempre que algum tema relevante – acerca do qual eu tenha opinião formada – vem à tona.

Sou daquelas chatas que vão estudar, ler 20 reportagens de veículos de comunicação diferentes e depois conversar com 8 amigos, 5 parentes e 3 desconhecidos de opiniões diversas sobre esses assuntos polêmicos, tentando embasar o que pensam.

Pertenço a uma espécie que sofre: a que julga que silenciar é compactuar com o que está acontecendo, independentemente de sua posição política. Por isso nós nos manifestamos, discutimos, nos chateamos, chateamos os outros e nos desiludimos com o mundo. Não tenho dúvidas de que a minha vida seria mais fácil se eu me interessasse apenas por cores de batom e campeonato brasileiro.

Mas, enfim, cada um sente o que sente, cada um luta pelas suas causas.

Porém, em meio a tantas razões e tanto sentimento, começam os embates. Opiniões divergentes, respostas ácidas, questionamentos, provocações. Pessoas queridas nos frustram, pessoas às quais somos indiferentes mostram-se necessárias. Arame farpado, rosas cheias de espinhos. E surge a polêmica pergunta: vai deixar que a amizade de vocês acabe por causa de política?

Não. As amizades não acabam por causa de política. Amizade de verdade, com gente boa, não acaba por pensarmos igual, muito menos por pensarmos diferente. Isso nunca. Não se rompe amizade por causa do número da legenda partidária, nem por visões distintas da economia, nem por prioridades políticas diferentes. O que pode acontecer é descobrirmos que certas pessoas simplesmente não são quem nós pensávamos que eram.

No momento em que descobrimos que pessoas que nos cercam utilizam argumentos racistas, a amizade realmente precisa acabar. Quando fica claro que alguns amigos se orgulham do próprio machismo, é preciso deixá-los para trás. Quando aquele velho conhecido do prédio revelar seu discurso homofóbico de ódio, vá embora. Quando a amiga da sua mãe disser que pobre não devia ter direito a voto, corte relações.

Piadas com violência sexual. Ode à ditadura. Incitação à violência. Tratar animais melhor do que trata os empregados. Novas versões do fascismo. Xenofobia. Nós não podemos relativizar essas coisas. A gente precisa se posicionar, por mais dolorido que seja.

As amizades não acabam por causa de política, acabam porque descobrimos que tem gente que era querida, mas que se revela nojenta. E quando elas se mostram assim, o afeto pega as malas e vai embora. Porque o afeto não se engana. Ele sabe que permanecer ao lado delas, conhecendo-as assim, seria uma nítida forma de compactuar com o ódio, a pequeneza e a miserabilidade dentro da qual residem as piores formas de segregação e violência.

As amizades não acabam por causa de política. Acabam porque a discussão política muitas vezes revela a verdadeira cara de muita gente. E essas caras não são, nem nunca serão, caras amigas.

Socorro!
Eu não nasci para ser fitness!

Ei, você!

Você, que passou cerca de 15 anos da sua vida fugindo das aulas de educação física. Enfermaria, cantina, banheiro, qualquer escapatória era válida.

Você, que quando não conseguia fugir era sempre o último a ser escolhido para compor as equipes para jogar bola.

Até por isso, a única modalidade na qual você se dava minimamente bem na escola era queimado, porque a única coisa que precisava fazer era fugir da bola, sua especialidade até os dias de hoje.

Os anos passaram e você se livrou desse inferno. Que alívio.

Ou não.

Agora, se bobear, piorou: você paga uma academia sem que ninguém te obrigue a isso. E eu sei bem como é ser uma dessas pessoas que se sentem mais à vontade num terreiro de candomblé, num centro cirúrgico ou numa mina de sal do que numa academia. É realmente um sacrifício.

O pânico já começa na hora de se vestir. Se você é mulher, entrar num legging dá mais medo do que entrar em estacionamento de shopping perto do Natal. Quando enfia os pés dentro dele, sua sensação é de que precisava de um número 11 vezes maior e de que se você entrar naquilo nunca mais vai sair, nem com vaselina.

Se você é homem, *dry fit* é um termo absolutamente desconhecido e sua tendência natural é ir à academia sensualizando de moletom cinza com elástico na barra e camiseta de vereador. E, em ambos os casos, gastar mais do que 150 reais num tênis soa como uma verdadeira aberração. ("Gente, com 150 reais dá pra comer TAAANTO hambúrguer!")

Muito bem, se você vence essa etapa, o que em muitos casos nem chega a acontecer, o negócio começa a ficar sério.

O problema já começa pelo verbo. Você se sente muito ridículo dizendo que vai "treinar". Cara, eu nem tenho um treino. "Malhar" é pior ainda, fora de cogitação. Sua tendência é dizer que vai "fazer ginástica", mas não dá, a não ser que você vá até a década de 1990 para se exercitar. O jeito é "ir para a academia" mesmo, com o máximo de dignidade possível.

Então você chega naquele local nefasto, faz uma breve oração para que ninguém te dirija a palavra enquanto você estiver lá dentro, respira fundo, pensa em fugir pro boteco da esquina, mas fica firme e entra.

Segue direto para uma esteira – não pode ser tão difícil assim –, sobe e, ao apertar "iniciar", já bate um semipânico daquele tranco que o aparelho dá quando começa a funcionar.

Mas você sobreviveu; está caminhando, orgulhoso. Então, cinco minutos depois, percebe que está na velocidade 3,6 e a senhora de 95 anos ao seu lado na 6,0. Coloca em 7,5 para não ficar tão feio, mas não sabe se é pra andar rápido, trotar ou correr, por isso começa a fazer movimentos estranhos, um pouco semelhantes aos de um orangotango.

Primata ou não, você conseguiu chegar a 20 minutos. E é claro que esses 20 minutos demoraram 7 horas para passar, enquanto você se perguntava como aquele filho da mãe na esteira ao lado estava há 53 minutos na velocidade 11,5.

Mas é isso aí. Você conseguiu e até já se imagina falando para o mundo, com a maior naturalidade, que já fez sua "corrida" hoje. Praticamente uma São Silvestre.

E lá vai você para a musculação, fingindo não estar tão perdido quanto hare krishna em baile funk, bebendo sua água numa garrafinha de plástico fosco que ganhou do banco há 13 anos, enquanto vê as pessoas com um tipo de Nescau em copos da Nasa (*"Whey* que fala, né?").

Senta-se numa máquina vazia qualquer. Mal sabe se aquilo é pra perna, braço, abdômen ou se é um caixa eletrônico. Espeta aquele pino num peso que te parece honesto e sai empurrando a primeira alavanca que vê. Está pesado demais, o negócio nem se movimenta. Vê se não tem ninguém olhando e espeta o pino mais para cima. Tenta de novo. Nada. Coloca o pino no mínimo. Faz nove repetições e se sente pronto para o octógono do UFC.

Procura halteres. Vai para a frente do espelho ("Céus, pareço um imbecil nessa roupa") e começa a trabalhar bíceps. Ou tríceps. Tanto faz, você não sabe qual é qual. De repente, quase enfarta por causa de um fortão que, depois das repetições, jogou os pesos no chão e o barulho foi tipo o apocalipse. E nem dá para você se vingar porque pesos de 2kg não fazem barulho se caírem.

Enfim. Pode ser que você tente fazer uma aula. Zumba, step, jump. A probabilidade de dar certo é de cerca de 1 em 497. Então, aqui vão duas dicas:

1. Fique no fundo. BEM no fundo. Se possível, atrás de uma pilastra e com aqueles óculos de disfarce que já vêm com um bigode.

2. Quando, na coreografia, você achar que é pra ir para a direita, vá para a esquerda e quando achar que é para a esquerda, vá para a direita. Costuma funcionar. Mas, cuidado: se tiver uma "voltinha" ou uma viradinha de 360 graus na coreografia, não faça. Vá por mim, experiência própria. Quando você voltar ao ponto inicial a música já vai ter mudado ou, se bobear, aquela aula já acabou e já está rolando uma sessão de yoga. Sério, não faça isso.

Não é fácil, eu sei. Ainda mais se estiver chovendo. Ou frio. Ou muito calor. Ou uma bela noite de verão. Ou se for Dia do Índio. Ou se for época de carambola. Qualquer desculpa é desculpa.

Mas é isso aí, vamos tentando, porque depois dos 25 ninguém mais está com a vida ganha.

E chega o dia em que o medo do espelho, da balança e das fotografias é maior do que o medo da academia. E então estaremos salvos. Vai dar tudo certo.

Se cuidem, blogueiras fitness, tô na área.

Aos 20 anos × Aos 30 anos

N A SEMANA QUE vem eu completo 28 anos. Antes que alguém diga: eu sei que estou a léguas de distância de estar "velha". Eu sei que (se Deus quiser) não estou nem perto da metade da minha vida. Eu sei, eu sei, eu sei.

Mas o fato é que as coisas mudaram. E talvez essa minha adorável faixa etária seja exatamente aquela na qual a gente se dá conta, pela primeira vez, de que o tempo passa. E passa rápido. A diferença entre os 10 e os 20 é muito maior do que a diferença entre os 20 e os 30. Mas aos 20 a gente simplesmente nem pensa nisso. Já aos 30...

Na sexta passada, enquanto sentia meu sofá me puxar como areia movediça, batalhava para aceitar a ideia de colocar um vestido preto, um sapato de salto e ir para uma festa. E então comecei a pensar em algumas diferenças entre os 20 e os 30.

Tudo começa com a nossa visão sobre as noites de sexta, sábado e vésperas de feriado:

Aos 20: MEU DEUS, sexta-feira e eu não tenho nada marcado à noite, socorro, como assim, gente? Preciso marcar alguma coisa urgentemente.

Aos 30: MEU DEUS, sexta-feira e eu tenho uma festa que começa dez da noite, socorro, como assim, gente? Preciso arranjar uma desculpa urgentemente.

É assim. Por isso a gente diz que se sente velho. Lembrei de um sentimento parecido que tive na Páscoa desse ano.

Aos 20 na Páscoa: sair no sábado à noite, beber vodca barata, comer dogão, deitar 5h30, acordar bem para o almoço de Páscoa, ganhar um milhão de chocolates, comer horrores, cochilar à tarde, pensar em sair à noitinha.

Aos 30 na Páscoa: comer um peixe no sábado à noite, deitar 23h30, fazer uma corrida no domingo de manhã, tomar uma taça de vinho no almoço, comer dois bombons, sentir culpa, sentir azia, sentir que vai morrer, olhar para a propaganda do Gaviscon, sonhar com um Gaviscon.

A questão dos medicamentos para azia e má digestão que atuam na sua vida também é interessante.

Aos 20: oi?

Aos 30: Eparema, Engov, Mylanta Plus, Eno Limão, Eno Guaraná, Eno Abacaxi, Eno normal, Luftal, Omeprazol, Gaviscon, Estomazil, Epocler, Maalox, Peptozil, Magnésia Bisurada.

As idas à farmácia mudam. As idas ao supermercado mudam.

Aos 20: preciso passar no mercado para comprar coisas para levar numa festa.

Aos 30: preciso passar no mercado para ter coisas para comer, para não precisar comer em uma festa.

As festas, por sinal, mudaram completamente.

Aos 20: aniversários e despedidas de amigos que iam morar fora. Festas em bares com música alta, baladas que começavam à meia-noite ou churrascos que duravam 12 horas.

Aos 30: chá de uma porrada de coisa. Chá de bebê, chá de cozinha, chá de lingerie, chá bar. Quase todos começando às 17h. Aniversários agora são em lugares em que a gente possa sentar e não costumam durar mais de três horas. Deus é grande. Guardamos nossa energia do bimestre para algum casamento (do qual teremos ressaca por cinco dias – além da dor na panturrilha porque descemos até o chão – "Onde eu estava com a cabeça?").

A noção de criança muda.

Aos 20: crianças são os meus primos e os irmãos mais novos dos meus amigos, não tenho nada a ver com isso.

Aos 30: crianças são filhos dos meus amigos, filhos dos meus irmãos e eu acho que semi tenho a ver com isso.

Anteontem passei no shopping, entrei numa loja "jovem" e a história foi mais ou menos assim:

Aos 20: nossa, que FOFA essa blusinha de 20 reais! Vou levar para usar no feriado.

Aos 30: gente, como veste isso? A cabeça entra aonde? Fica barriga de fora? Então não. Melhor pegar esses 20 reais, juntar mais um pouco e comprar um vinho pro feriado.

A convivência com o álcool muda TIPO MUITO.

Aos 20: ANIMAL, a festa é open bar de cerveja, vodca com refrigerante, jurupinga e catuaba, vai ser MUITO BOA.

Aos 30: eu VOU FALECER se for nessa festa.

E quando você chega às festas:

Aos 20: noooossa, vários gatinhos(as), mó bom esse DJ, adoro essa música do Avicii, vamos até o bar.

Aos 30: nossa, eles não pedem documento pra essa molecada? Impossível eles terem 18. Tem onde sentar? Quem está cantando? Ariana o quê? Grande?

Mas, pessoas de 20, não pensem que é ruim. Quer dizer, a parte da azia e da má digestão é bem ruim, sim, mas algumas coisas vão ficando bem melhores.

Várias séries. Poucas filas de baladas. Vários sofás. Poucas pessoas vomitando perto de você. Vários edredons. Pouca fumaça de cigarro. Vários vinhos. Pouca Smirnoff. Vários filmes. Pouca fila de banheiro. Vários pijamas lindos. Pouca saia curta com frio nas pernas. Vários livros. Poucas caixas de som fazendo tum-tum-tum. Vários queijos. Poucos dogões prensados. Vários travesseiros. Vááááários travesseiros. É uma coisa maravilhosa, vai por mim. Fora a azia e a má digestão.

P.S.: Completei 29 anos em 2017 e subitamente comecei a dormir no meio das séries, mesmo que ainda sejam 21h30. Para ser sincera, não sei o que esperar do futuro.

Se acaso me quiseres, sou dessas mulheres... Que vão investigar sua vida na internet

N ÓS, MULHERES... AS AMÁVEIS CRIATURAS que vão jogar seu nome no Google.

E que, num piscar de olhos, vão descobrir o nome da sua mãe, o emprego do seu pai, com quem sua irmã está saindo e em quais vestibulares você passou.

E, sim, nós já sabemos o nome do seu cachorro por causa de um comentário da sua tia numa foto que seu primo postou no Facebook, daquela festa de Natal de 2009 na sua casa.

E lembra daquele vídeo da sua viagem de formatura do colegial que está esquecido no YouTube? Nós já vimos. Umas quatro vezes, por sinal (a terceira e a quarta visualizações foram para descobrir se aquela menina que aparece ao seu lado aos 56 segundos é a mesma que curtiu um post seu da semana passada).

Também sabemos que a camisa que você estava usando na noite em que nos conhecemos é a sua favorita, uma vez que você aparece com ela numa foto do réveillon desse ano, num show do Seu Jorge e no aniversário daquele seu amigo de infância que está meio careca (no vídeo da formatura ele ainda tinha cabelo).

E a sua ex... Ah, a sua ex. Uma querida, ela. Descobrimos, em uma fração de segundos, se ela usa unhas postiças, se ainda gosta de você, se tem bolsas cafonas, se já fez plástica e se só tira fotos da cintura pra cima (quem nunca?). Mas não se preocupe, ela também já puxou nossa ficha. Sabe tipo sanguíneo, antecedentes criminais, tom de base e se está na hora de retocarmos nossos reflexos.

Mulheres dominam a gestão estratégica das curtidas no Facebook.

Tem horário certo, nada de curtir um minuto depois da postagem. E as curtidas devem ser espaçadas e bem distribuídas, não pode sair distribuindo like que nem uma louca.

Já os comentários em fotos, que são atos bastante delicados, precisam ser previamente aprovados por uma comissão de sete amigas num grupo de WhatsApp (que, por sinal, neste momento tem 243 novas mensagens, dentre as quais fotos de jogadores de futebol seminus, gravações de áudio que não se deve ouvir em público e algumas – só algumas – críticas às fotos de conhecidos no Instagram).

Por falar em WhatsApp, algo muito parecido acontece com certas respostas que damos no chat com você. Dependendo da gravidade do assunto, a comissão é ampliada para 11 ou 14 amigas, podendo até haver uma assembleia extraordinária regada a cerveja numa terça-feira à noite para discutir a construção ideal do texto de resposta, incluindo análise sintática e minuciosa atenção às expressões empregadas ("Esses dias" é absolutamente diferente de "Um dia desses", assim como "A gente se fala" é quase o oposto de "Até mais tarde").

Importante frisar que também sabemos que, se você visualizou o WhatsApp às 4h41 da manhã, aí tem. (Não trabalhamos com a hipótese de que tenha sido um mero xixi de madrugada, vislumbramos algo mais grave.)

Temos também um total e detalhado controle sobre o significado emocional existente por trás da dinâmica "online/ digitando.../ digitando.../ online/ digitando...".

Ah, e Print screen de tela do WhatsApp para as amigas darem uma olhadinha é algo absolutamente normal e corriqueiro, tá? Se a conversa for muito importante, rola tipo uma metralhadora de prints – pá-pá-pá-pá-pá-pá-pá-pá, uns oito na sequência. Se o sinal do wi-fi não for bom até dá uma congestionada nas paradas.

Aceite, amigo, mulheres vão saber tudo isso muito antes de você imaginar que elas um dia pudessem imaginar. Como dizem por aí, se ela quiser descobrir uma coisa, ela vai e descobre dez. Não tem jeito, somos assim. E não é por mal... É algo tão inevitável quanto celulite na parte externa na coxa.

E não pense que é fácil! Temos que fazer um verdadeiro malabarismo para lembrar o que foi você que nos contou e o que nós descobrimos fuxicando, para não dar fora. É quase um jogo de xadrez mental.

Mas você deve se perguntar: "Meu Deus, elas não têm mais o que fazer?" Fique sossegado. Averiguamos tudo isso ao mesmo tempo em que pintávamos a unha, assistíamos à nossa série preferida, destacávamos com marca-texto os trechos principais do texto da pós, comíamos um iogurte grego e, claro, falávamos com você no WhatsApp para poder te conhecer melhor. Tranquilo.

P.S.: Escrevi isso numa outra fase da minha vida. Hoje já não faço mais essas coisas. Mentira.

Quando foi a última vez que você fez algo pela primeira vez?

"**A** CADA DIA QUE VIVO, mais me convenço de que o desperdício da vida está no amor que não damos, nas forças que não usamos, na prudência egoísta que nada arrisca e que, esquivando-nos do sofrimento, perdemos também a felicidade."

Foi a frase – que rola pela internet atribuída a vários autores diferentes – que minha amiga amada pediu para pintarem na parede do quarto quando começou a quimioterapia. E ela viveu todos os seus dias intensamente, com um sorriso no rosto, pedindo pra ficar mais um pouco.

Até que um dia ela se foi. E eu, aos 18 anos, me prometi que viveria por mim e por ela. Que não teria medo de arriscar e que nunca faria da minha vida um mero encadeamento de dias. Estou tentando.

Então, diariamente, uma pergunta martela na minha cabeça: quanto tempo perdemos? E quanto tempo ainda vamos perder?

Porque me falta tempo; porque acordo cedo amanhã; porque estou com enxaqueca; porque estou de dieta. Com excesso de zelo, excesso de cautela, excesso de fé na ideia de que sempre pode ficar para amanhã.

Chega, vai. A vida é só uma e passa correndo. Quando a gente vê, já passaram as chances e tudo o que sobra na cabeça é um triste e fosco rol de hipóteses não tentadas e de riscos não corridos.

E essa conversa não é necessariamente sobre projetos grandiosos. É simplesmente sobre sopros de liberdade. Sobre uma vida mais feliz por ter menos regras intransponíveis.

É sobre pegar um cinema sozinho, de preferência numa terça-feira.

Sobre comprar uma passagem poucas horas antes do voo. E ir só com a roupa do corpo.

Sobre voltar da padaria com um sonho pro porteiro do prédio.

Sobre ir de pijama à garagem buscar aquele negócio que ficou no carro.

Sobre entrar no elevador com a toalha de banho enrolada na cabeça.

Sobre comer jiló, javali, jaca, jacaré.

Sobre pedir desculpas por um erro de 2002.

Sobre pegar insetos nas mãos.

Sobre ligar, dizer que sente falta, que sente muito, que sente que pode ser agora.

Sobre comprar aquela peça de roupa que você sempre namorou, mas que acha inadequada para a sua idade ou para o seu tipo físico.

Sobre fazer caretas para as crianças da van escolar no trânsito.

Sobre parar num bar e tomar uma, duas, três cervejas só na sua companhia, em horários incomuns.

Sobre deitar na cama, dormir de roupa, sem escovar os dentes.

Sobre finalmente mandar pessoas tóxicas à merda.

Sobre cortar curtinho, pular do alto, nadar no fundo.

Sobre um belo dia resolver mudar e fazer tudo o que se quer fazer, se libertando daquela vida vulgar que a Rita Lee cantou.

Sobre não se render mais um dia à tal prudência egoísta que nada arrisca da frase lá do início.

Porque é fácil levar uma vida banal e queixar-se dela. Mas será que quando a vida não é fantástica a culpa é do destino ou a culpa é nossa? Eu não sei se a vida é curta, mas sei que essa vida é uma só. E que o tempo não volta.

A gente tem que fazer o que tem que ser feito.

Pode ser hoje. Façamos ser hoje.

Detox na vida

Passou o natal, passou o Ano-novo, passou o Carnaval. *The game is over* e a vida real pede passagem. É nessa hora que a febre detox-vida-nova-entrar-nos-eixos vem com força ainda maior – se é que isso é possível.

Detox vem da ideia de desintoxicar, tirar do corpo tudo o que não lhe faz bem. Louvável, sem dúvida nenhuma. Mas o problema começa quando as pessoas resolvem achar que duas garrafas de suco verde são a milagrosa solução para melhorar suas vidas.

O ano está aqui na nossa frente e de nada vai adiantar desintoxicar o corpo se a vida e a alma estão povoadas de hábitos, pessoas, dias e caminhos tóxicos. Parasitas, comodismos, vícios, medos.

Gente tóxica. Gente cinza, amarga, invejosa, gente que gosta de problema, que gosta de doença, que gosta de discórdia, gente que vive de aparência, gente rasa. E não tem jeito, temos que fugir mesmo, cortar, evitar ao máximo. Bom dia, boa tarde e até logo. Não nos deixemos contaminar.

Não adianta comer chia toda manhã se a gente odeia o emprego e já sai de casa com vontade de voltar. Não dá para achar que o corpo vai estar puro se você não acredita no que faz e passa mais de quarenta horas da semana ruminando tarefas infelizes.

Não adianta beber 3 litros de água por dia quando se está num relacionamento que afundou. É cômodo, todos sabemos. Mas a vida é uma só e não dá para ver os dias, meses e anos passarem com migalhas de amor e sem vestígios de paixão.

Não adianta colocar linhaça nas receitas quando só se reclama da vida, dos outros, do país, do calor, da chuva, do trânsito. É um círculo vicioso: quanto mais a gente fala das coisas ruins, menos atenção a gente dá às coisas boas e a vida vai ficando ruim, ruim, ruim. É ilusão achar que a mudança vem de fora para dentro. Que a felicidade e a saúde cabem em embalagens plásticas com códigos de barra. Produtos podem ser ótimos coadjuvantes nessa busca, mas a verdadeira mudança é só o protagonista quem faz.

E eu até quero um ano detox. Detox de dias iguais. Detox de gente ruim. Detox de maus hábitos. Detox de inveja. Detox de relações doentes. Detox de obsessões. Detox de pessimistas. Detox de medo de mudar. Detox de dias desperdiçados. Detox de sentimentos pobres. Detox de superficialidade. Detox de vícios. Detox de viver por viver.

E pra fazer detox na vida é preciso coragem. Coragem para mudar, para arriscar, para romper, para fechar ciclos que há muito tempo deveriam ter terminado. O ano oficialmente começou e a pergunta é: vai ter só suco verde ou vai ter detox na vida?

A diferença entre ter uma vida e ter um lifestyle

À S VEZES EU OLHO para algumas pessoas e, a princípio, fico maravilhada. A combinação da roupa, o cabelo, os acessórios, que gente fantástica. Por que eu nunca fico assim, por mais que eu me arrume?

Vejo aquelas pessoas que comem umas coisas estranhas. Posta de enguia com redução de balsâmico. Barra de proteína importada da Holanda. Pudim de chia com cranberry e physalis. Postam fotos fantásticas no Instagram. Fico olhando, me achando muito ignorante mesmo.

Reparo que certas pessoas parecem fotos de Instagram na vida real. Elas estão sempre na posição certa, com a luz certa, com a roupa certa e a comida certa na hora certa. Elas fazem tudo tão aparentemente certo. Malham às 6 da manhã. Nunca estão em casa no sábado à noite. Pedalam no domingo. Bebem bebidas bonitas.

É um tipo novo: as "pessoas lifestyle". Tudo nelas é digno de um post em redes sociais. Da hora em que acordam até a hora em que dormem. E, se bobear, alguém ainda os fotografa dormindo serenamente.

Mas eu... Eu não.

Eu costumo estar atrasada. E carrego um monte de tralha. (Eles nunca carregam tralha.) Minhas roupas não são propriamente cafonas, mas, na dúvida, eu aposto em tudo preto, porque nunca saberei harmonizar estampas.

Eu acordo com o cabelo amassado. Eu como pão com manteiga. Eu almocei rolo de carne com purê. Eu prendo o cabelo para poder lavar só à noite. Eu não vou à academia tanto quanto deveria. E, quando vou, não posto foto. Sábado à noite eu às vezes estou de pijama. Às vezes estou na minha avó. Às vezes estou estudando. Às vezes estou embriagada e nenhuma foto sai boa.

Tem algo de muito estranho num mundo no qual a gente se sente estranho por ser normal.

Ser uma pessoa impecável, um post na vida real, é uma escolha. Ser uma pessoa lifestyle, que não molha o cabelo na piscina para divar nas fotos, que acorda uma hora mais cedo para escolher a roupa, que come o que é mais fotogênico e não o que é mais gostoso, que checa a cada cinco minutos se a aparência está ideal, pode ser interessante para alguns. Não para mim.

Eu não tenho tempo para isso. Na verdade, nem tempo nem interesse. Eu tenho que guardar as roupas que ficaram em cima da cama. Tenho que passar no banco. Pode ser que eu pise num chiclete. Que entre um cisco no meu olho. Que uma semente do kiwi fique entre meus dentes.

Não, eu nunca serei digna de um estilo de vida a ser compartilhado. Não nasci para ter lifestyle. Eu nasci para sentir o vento bater no rosto sem me preocupar se o cabelo vai bagunçar. Nasci para deitar na grama sem me preocupar se a roupa é clara. Nasci para chorar fora de hora e ficar com a cara inchada. Nasci para chorar de rir. Para suar. Para lavar louça. Para trabalhar até tarde. Para regar minhas plantas. Para colocar pijama, requentar o jantar de ontem e abraçar quem eu amo. E isso é o que chamam de vida, e não o tão cobiçado lifestyle.

37 anos, separada e sem grandes esperanças

E LÁ ESTAVA EU NUM BAR, com um grupo de amigos. Alguns no time do namoro sossegado, outros no do casamento com ou sem filhos, outros no da solteirice bem resolvida, outros no time dos separados, divorciados e coisas do gênero. Eu acho qualquer time lindo, desde que a pessoa esteja nele numa boa.

Mas havia alguns amigos visivelmente incomodados com as posições que ocupavam. Em especial, acho, alguns dos separados ou divorciados. Provavelmente porque isso, por mais normal que seja, venha com frequência acompanhado de um certo sentimento de frustração pelas coisas não terem saído bem como previsto. Normal, né?

Mas era interessante – e, em certa medida, angustiante – observar que as amigas separadas pareciam carregar fantasmas maiores do que os homens. Não que elas se importem mais do que eles ou eles menos do que elas. Mas porque elas sentem que seus prazos são curtos. Curtos para encontrar homens que se interessem por elas e não pelas de 25, curtos para pensar em ser mãe, para pensar em ser mãe de novo, curtos para cultivar aquele resto de esperança na vida a dois.

Não vou dizer que seus anseios são infundados. Não vou dizer "Miga, sua loca, para com isso, você tá fazendo tempestade em copo d'água!" Eu entendo mesmo e até me angustio um pouco junto com elas. Talvez eu agisse exatamente da mesma forma nessas circunstâncias.

Eu entendo que é duro manter a fé depois de tanta cabeçada que a gente dá. Entendo que tem pressão por todo lado. A que vem da gente. A que vem da família. A que vem do mundo. Entendo que haja cansaço. Que haja um certo desencanto. Que haja uma certa perda da capacidade de sonhar, de romancear, de idealizar, de esperar o futuro de braços abertos.

Mas sabe, amiga? Se eu pudesse te dizer alguma coisa, só diria "Não se deixe amargar, não". Não tente ser a adolescente sonhadora dos 17, mas não se torne cética demais, ácida demais. Não digo isso pelo que os homens (ou quem quer que seja a pessoa com quem você gostaria de se relacionar) podem pensar. Não. Digo isso por você. Não se torne a pessoa resmungona, que não acredita em nada nem em ninguém, que diz que todo homem é igual, que fala mal dos relacionamentos. Você nunca quis ser isso.

Aproveite a seu favor a maturidade que ganhou nas pancadarias da vida. Não como cansaço, amargura, resignação. Tome isso como força, como redução do medo, como dose extra de coragem. Quem já caiu do alto e seguiu andando não precisa mais ter medo de altura. Não olhe para seu passado como fardo, mas como escola. Não desacredite.

Minha mãe separou-se aos 34, tinha dois filhos; aos 36, encontrou meu pai, me teve com quase 39. Minha tia casou-se aos 43 com um suíço e eles tiveram vários gatinhos. Minha outra tia casou-se aos 46 com um americano e eles cruzam os EUA de moto juntos. Minha outra tia separou-se aos 44 e encontrou um namorado fantástico com 50. A melhor amiga da minha mãe separou-se aos 39, casou de novo aos 51, separou-se outra vez aos 62. Agora está em Paris com as amigas, *having the time of her life*. Minha prima separou-se aos 33 e está radiante sozinha, mais bonita e bem-humorada do que nunca.

Pode haver um desfecho que seja aquele que a gente espera. Mas que pode não ser o que a vida nos reserva. A gente só precisa estar aberta para o que a vida oferece. As ofertas sempre continuam, não há prazo de validade nas pessoas. Boas ofertas, péssimos negócios, sapatos um número maior, batom perfeito para o seu tom de pele, livros desconhecidos. Apenas não feche a porta. Apenas não abra a porta já disposta a dizer não. Apenas não diga sim com má vontade. Apenas abra a cortina devagarzinho. Abra a janela. Tem muita coisa boa lá fora.

Tem céu azul, tem pastel de feira, picolé de coco, tem outros divorciados sentados no solzinho depois do almoço, tem solteirões em busca do que nunca acharam, tem gente procurando amigos para finalmente conhecer Machu Picchu nas férias. Tem muitas razões para não se deixar amargar. A principal segue sendo que você nunca quis deixar de ser doce. Então não deixe, amiga. O amargo nunca combinou com você. ♥

Parem com essa bobagem
de querer ter sucesso

"Fulano é um homem muito bem-sucedido", "Beltrana construiu uma carreira de sucesso". Crescemos ouvindo esse tipo de expressão acerca de pessoas que teoricamente chegaram ao topo de suas caminhadas e passamos a aceitar desde pequenos que nossa principal meta de vida é alcançar o sucesso.

A questão interessante que se coloca é que praticamente nunca ouvimos uma pessoa repetir este discurso em primeira pessoa: "Eu alcancei o sucesso." Talvez isso ocorra por uma razão muito simples, que nada tem a ver com humildade: sucesso é uma coisa e realização é outra, completamente diferente. Sucesso é o que os outros pensam sobre uma pessoa e seus caminhos, enquanto a realização é o que a pessoa pensa sobre as escolhas que fez na própria vida. Realização pessoal, realização profissional: alcançar a realização é encontrar a plenitude em determinadas esferas da vida, ter sucesso é simplesmente passar uma imagem de que tudo deu certo.

O problema é que muitas vezes as coisas não deram tão certo quanto o sucesso quer fazer parecer. O sucesso é um telhado de vidro, ninguém sabe muito bem quão resistente é aquilo. O sucesso, puro e simples, pode vir acompanhado de uma infelicidade gigantesca. Não apenas por causa da velha história de que muitos sacrificam a vida pessoal por conta da carreira. Mas porque cada vez mais frequentemente encontramos pessoas que chegaram no topo de empresas, de escritórios e da mídia – os famosos "profissionais bem-sucedidos" – mas que não sentem, nem de longe, que encontraram a realização profissional.

Já o sentimento de realização caminha realmente muito próximo da sensação de missão cumprida. Mas, para tanto, é preciso que haja uma missão. Metas não são missões. Sonhar com um cargo não é ter uma missão. Traçar uma carreira com GPS e executar o caminho no menor tempo possível pode até garantir sucesso, mas nunca garante que você se sente naquela cadeira sonhada e sinta-se minimamente realizado.

Então às vezes nós temos que parar e nos perguntar: para quem estamos construindo as nossas vidas? Para quais olhares estamos direcionando nossas imagens? Para os nossos ou para os dos outros? Será que não estamos dedicando tempo demais às aparências e será que um dia isso não vai nos custar muito caro? Porque, no fim das contas, os cargos se vão, o prestígio se vai e só o que resta é a opinião que nós mesmos temos sobre a estrada percorrida.

Um grande beijo para o recalque

RECALQUE.
Há quem diga que quem criou o conceito foi Valesca Popozuda. Outros atribuem a Sigmund Freud. Talvez seja Clarice Lispector, talvez seja Voltaire, talvez seja Tati Quebra-Barraco.

Não vem ao caso.

O que sei é que o conceito moderno de recalque é genial e indispensável. Porque tem dias que a gente simplesmente se cansa dessas pessoas de vida amarga, cuja maior diversão é julgar a conduta alheia, observada de longe com olhinhos cinzentos.

Tem dias que a gente cansa do recalque com o beijo gay da novela. Com o beijo gay do amigo de infância. Com o beijo hétero da amiga que está periguetando feliz da vida. Com o beijinho no ombro da musa.

Cansa do recalque de quem não tem colhões para fazer o que tem vontade e fica condenando a vida alheia. De quem tem uma vida quadrada e desinteressante, que culmina nessa tristeza de ter como passatempo favorito a censura da alegria dos outros.

Cansa daquela gente que não interage nas redes sociais, mas está lá, todo dia, amarguinha, julgando a foto da prima, o post do vizinho, os likes do ex-namorado da madrasta do jardineiro do prédio. Um misto de fantasma e fiscal de trânsito.

Cansa, simplesmente cansa do recalque.

Cansa de quem não se joga no sambão, de quem não desce até o chão, mas faz questão de demonstrar reprovação.

Cansa de quem não fica suado, de quem não se arrisca a ser engraçado, mas adora demonstrar quanto está chocado.

Cansa de quem não usa descolorante, não suporta refrigerante e confunde ser insosso com ser elegante.

Cansa de quem não se posiciona em relação a nada, de quem acha um horror a discussão política inflamada, mas adora falar que o país é uma palhaçada.

Cansa de quem não chora de rir, não larga tudo quando quer ir e leva uma vida que precisa de projeto para sorrir.

Cansa de quem não gosta do que você escreve, de quem condena as palavras que você não mede, mas na hora do pedido de amizade: pede.

Cansa de quem é velho aos 20, de quem não vira amigo do pedinte, e que vai ler o que você posta – e vai dar print.

Cansa de quem vive de aparência, de quem não tem resquícios de adolescência e se orgulha do seu alto nível de decência.

Cansa de quem não quer se expor, não se arrisca a morrer de amor, mas inveja, secretamente, toda essa falta de pudor.

Deixo apenas um grande beijo pro recalque, desejando que toda invejinha malvada se transforme em vontade de viver.

Vamos viver, recalcados!

Juntem-se a nós, vocês verão que a vida é bem melhor quando se investe na arte de sambar na cara da sociedade, em vez de ficar na plateia analisando quem está fora do ritmo, quem está com as coxas flácidas e quem borrou a maquiagem.

Venham pra pista, recalcados!

Porque nós podemos ter mil e um defeitos, mas temos o tesouro de não ver ninguém como afronta ou concorrência. Vamos recebê-los muito bem. Vocês verão que a vida desrecalcada é uma verdadeira delícia.

Viver para contar

A vida não é a que a gente viveu, e sim
a que a gente recorda, e como recorda, para contá-la.

Viver para contar
– Gabriel García Márquez

Eu tinha 16 anos quando minha tia Ana pegou *Do amor e outros demônios* na estante e me disse para ler naquele verão. Foi a primeira vez que eu terminei um livro e precisei ficar em silêncio durante mais de uma hora. Isso se tornaria algo frequente no futuro, mas, ali, foi um divisor de águas.

García Márquez é realmente um capítulo à parte dentro de mim. Porque eu sempre tive dificuldade de entender como suas histórias, tão diferentes e tão distantes da minha, eram capazes de me aproximar tanto de mim mesma. Aquilo simplesmente não fazia sentido.

Levei muito tempo até compreender que não tinha a ver com as histórias, mas com sua forma desenfreada de mergulhar nos personagens, nos dando a dimensão de quão raso costumamos permanecer em nós mesmos. Foi por causa das palavras dele que decidi que queria, no futuro, lembrar da melhor vida possível. Nada rasa e nada crua. Ficam aqui alguns pedacinhos dela.

A geração que queria ter 25 anos para sempre

JÁ ESCREVI MUITO sobre a minha geração, eu sei. Mas as angústias persistem e, por isso, persistem os textos também. Escrevi sobre o que temos de bom e o que temos de ruim. Sobre nossas escravidões e também sobre as liberdades que não estamos dispostos a negociar. Sobre defeitos e qualidades, como todo ser humano.

Acontece que eu venho percebendo que meus amigos se comportam todos de uma forma um pouco parecida, independentemente de suas idades. Os de 20, de 25, de 30, de 35, de 40 e de 45. As únicas coisas que mudam são os salários, a hora de dormir e a capacidade de tomar álcool. No resto, parecemos todos um pouco iguais, ainda que muitos anos nos separem. Hábitos parecidos, gostos parecidos, músicas parecidas.

Se perguntarmos aos nossos pais quem eles eram aos 20 e aos 40, sem dúvidas eles narrarão pessoas absolutamente diferentes. Mas parece que nós não somos assim. Ou que, pelo menos, não queremos ser ou não aceitamos ser. Fingimos que o correr dos anos não tem nada a ver conosco.

De fato a vida é um pouco injusta – especialmente com as mulheres – quando permite que a gente alcance alguma liberdade financeira aos 25 e, logo na sequência, aos 30, 30 e poucos, nos diga que devemos pensar em adquirir estabilidade e, eventualmente, construir família. O que é isso? Cinco, oito anos de liberdade para descobrirmos a vida e o mundo? Isso não parece suficiente e muito menos justo.

Eu disse um dia, numa conversa com um amigo, que nós deveríamos ter 25 anos durante uns vinte anos. Depois disso a vida poderia seguir adiante. Vinte anos para correr riscos, fazer escolhas erradas, gastar dinheiro de forma inconsequente ou, de repente, quase nem ganhar dinheiro. Vinte anos nos quais a preocupação fosse só o hoje e só nós mesmos. Mais nada nem ninguém.

Mas comecei a perceber que a minha geração decidiu, de alguma forma, colocar isso em prática, ainda que contra a imposição do tempo. As pessoas fazem 28 anos e seguem tendo 25. Fazem 33 e seguem com 25. Fazem 40 e seguem com 25. As pessoas têm filhos e seguem com 25. São promovidas e seguem com 25. Não estou dizendo que nós sejamos irresponsáveis. Pelo contrário. Acho que a vida nos imputa tantas responsabilidades profissionais tão cedo que buscamos refúgio naquelas coisas nas quais podemos nos negar a crescer. Muitos evitam filhos enquanto podem. Outros fogem dos relacionamentos sérios. Vários se negam a se casar. Não porque não queiram filhos, nem relacionamentos sérios, nem casamentos. Eles querem, mas não agora. Não aos 30. Não aos 40. Não aos... E agora? Ainda dá tempo?

Parece que o tempo vem correndo atrás de nós com uma foice. E que nossos avós não se incomodavam. E que nossos pais se incomodavam, mas aceitavam. E que a gente resolveu peitar o tempo. Seguimos com nossos exageros, nossos sonhos presentes, nossos compromissos adiados.

Talvez a gente tenha descoberto uma forma genial de moldar o tempo às nossas vidas e não o oposto, como todos faziam. Mas talvez estejamos vivendo uma imensa ilusão que só perceberemos, frustrados, aos 50 anos. Não sei. Sei que, por enquanto, parece que está tudo bem. Bem ou mal, poderemos dizer que vivemos tudo o que foi possível. E parece-me que viver o máximo possível segue sendo uma ideia melhor do que viver cumprindo prazos com excelência.

A menina que eu nunca fui

N A SALA DA 5ªC tinha uma menina com aquele estojo imenso, desdobrável, e uma mochila de carrinho fantástica. Tinha uma outra, linda, de quem todos os meninos gostavam e que andava balançando os cabelos, como quem dizia "Eu sei, eu sei". Eu não era nenhuma delas. Mas, ah, como eu queria ser...

Na 6ªA tinha uma que já falava inglês fluentemente. Tinha morado em Liverpool dos 7 aos 11 anos e fazia as lições de inglês como se fossem brincadeiras. Havia outra menina que sabia de cor aquela música do Timão e do Pumba, na qual eles falam coisas muito rápido. Eu não sabia fazer nem uma coisa nem outra. Tentava aprender com um certo custo.

Na sala de aula da 7ªA tinha uma menina muito bonita, magrinha, de olhos claros, que se sentava à esquerda, na frente, e anotava tudo muito rápido. Tinha uma bonitona que se sentava bem no meio, com cabelos longos, cachos nas pontas, e já tinha peitos imensos na altura do queixo. Eu não era nenhuma delas. Mas bem que eu queria ser.

Na 8ªD tinha uma menina que jogava futebol melhor do que todos os meninos. Ela jogava tudo bem: handebol, vôlei, basquete, conversa fora. Ela nunca precisou pedir a bola. Tinha uma outra menina que não errava um único cálculo de matemática. Ela sabia todos os números e o único que ela sempre via no alto das provas era o 10. Eu não era nenhuma delas. Mas gostaria muito de ser.

Na sala do 1ºB tinha uma menina que não sentia vergonha nenhuma de usar biquíni nos passeios da escola. Ela corria, pulava e dançava como quem dizia que era dona de si. Tinha outra com uma letra impecável, redondinha, desenhada. Ela intercalava a caneta azul com uma verde-água, em folhas do ursinho Pooh. Eu não era nenhuma delas. Mas, sim, queria, queria muito ser.

Na sala do 2ºD tinha uma menina que namorava um cara de olhos claros que aparecia de óculos escuros para buscá-la num carro prateado, tocando Eminem. Tinha outra que andava de skate, dobrava o elástico da calça do uniforme na cintura e amarrava a blusa para aparecer a barriga. Eu não era nenhuma delas. Mas eu acharia mais legal se eu fosse.

Na sala do 3ºF tinha uma menina que dizia, segura, que ia fazer faculdade e depois pegaria suas malas e sumiria viajando pelo mundo. Tinha uma outra que paquerava quem quisesse. Ela não tinha medo de não. Nem de sim. Eu não era nenhuma delas. Mas eu jurava para mim que um dia seria.

Na sala do cursinho havia uma menina que não tinha dúvidas de que seria aprovada na faculdade que queria. Na sala da faculdade tinha uma que tomava tequila com dogão e não passava mal nunca. Na sala do mestrado tinha uma que sempre combinava a bolsa com os óculos. Eu não era nenhuma delas. Mas planejava um dia ser.

Na 5ªC, na 6ªA, na 7ªA, na 8ªD, no 1ºB, no 2º D, no 3ºF, no cursinho, na faculdade e no mestrado tinha uma menina com um inglês mais ou menos, sem olhos claros, sem peitos fantásticos, sem nenhuma facilidade com a bola nem com os cálculos, sem qualquer segurança quando colocava biquíni, sem letra redondinha, sem namorado que ouvia Eminem, sem vocação para o skate ou para a blusa amarrada, sem coragem para sumir no mundo, sem cara para paquerar livremente, sem certeza do seu sucesso, sem estômago de aço, sem bolsas e óculos combinando.

Uma menina com uma letra que às vezes saía melhor, às vezes pior. Que nunca entendeu bem como se aplica a distributiva, mas que fazia suas redações com vontade. Que não tinha barriga boa pra biquíni nem pra blusa amarrada, mas que quando comprava bala na cantina comprava a mais pra dar pros amigos. Que não sabia muito bem se seu futuro seria um sucesso, mas fazia suas provas, entregava seus trabalhos e agradecia aos professores no fim da aula.

Havia uma menina que levou 28 anos para começar a entender que não precisava ser outra pessoa para ser legal. Que ela nunca reuniria todas aquelas características fantásticas em si mesma numa única vida. E que tudo bem ser só aquilo que ela era. Sem olho claro, sem gol de bicicleta.

Havia uma menina que, como quase todas, nunca foi treinada para se achar incrível. Foi treinada pela vida para achar-se devedora de si mesma. Para olhar para tudo o que ela não era ao invés de olhar para tudo o que era. Não demorem tanto tempo, meninas. Aprendam a se adorarem quanto antes. Não se martirizem diariamente. Vocês merecem saber que são fantásticas e precisam caminhar, vida afora, com essa certeza.

Chore e lute, filha

ENTRE AS TANTAS lições que recebi e recebo da minha mãe, considero duas primordiais: chore sempre que quiser chorar, filha. Lute mesmo quando não quiser lutar, filha.

Sou filha de uma virginiana de origem germânica, regras rígidas, poucas palavras. Mas não houve uma única vez em que ela tenha me mandado engolir o choro, como tanto se ouve por aí. Pelo contrário, ela dizia, com sua escassa e preciosa doçura: "O choro é o xixi do coração, filha. Tem que deixar que ele saia." Aprendi a obedecer (porque não lhe obedecer segue sendo o erro mais certo de todos) e choro invariavelmente, abandonando constrangimentos e preocupação com olhares de terceiros.

Sobre a luta, ela nunca verbalizou. Preferiu, nesse caso, ser apenas um exemplo permanente. Por vezes, soltava frases duras como "Segure isso pelo chifre", "Mostre para o cavalo quem é o cavaleiro aqui", "Mantenha só na sua mão a chave da sua felicidade", "Segure as rédeas da sua vida ou ela vai para onde quiser" ou ainda "Deus nunca nos dá um fardo mais pesado do que podemos aguentar". As frases ficaram como marcas, mas, no fundo, sempre bastou observá-la, no presente e no passado corajoso.

Sua luta nunca foi barulhenta. Olhares. Gestos. Frases curtas em tom de voz sereno e firme. Longas cartas manuscritas. Venho, há anos, aprendendo nesse treinamento inconsciente a duelar sem armas, a gritar sem som, a intimidar com os olhos e a romper sem cortes.

Nunca a vi abandonar ideais, relativizar princípios ou tolerar afrontas. Sempre a vi lutar pelo que acredita e, sobretudo, por aqueles em quem acredita. Sempre a vi continuar acreditando, embora com os olhos um pouco inchados, de quem chorou por meia dúzia de minutos atrás da necessária porta do banheiro (porque filhos podem chorar no seu colo, mas ela, mãe germânica, chora sozinha).

Um dia ela me disse, em tom de confidência, que me achava muito corajosa. Eu quis, com todas as minhas forças, acreditar nesse elogio com o qual nunca nem ousaria sonhar. Ainda não acredito. Ainda me julgo borboleta, cheia de cores, leve, superficial e frágil. Ainda me tornarei como ela: árvore, raiz, tronco, verde e vida.

Por enquanto, em tempos estranhos, em campo minado, em terreno incerto, em pedras falsas e em total incerteza na vida, sigo no choro sincero, sigo na luta honesta. Sigo por mim, por ela, por tantos. Porque, como dizem por aí, luto só me serve se for verbo. E assim seguimos caminhando.

Pai, eu não te amo mais como antigamente

Pai,
há muitos anos que não caibo mais no seu colo. Hoje meu peso já é demais para você me carregar nos ombros. E meus anos já não permitem certos mimos de antigamente.

Mas me flagro, às vezes, desejando que você ainda pudesse administrar minha vida, escolhendo os caminhos mais seguros para eu caminhar. Caminhada essa que seria livre de todo medo, por saber que você me observava a cada passo, tentando impedir meus tombos e tropeços.

Os anos passaram. E a vida não perdoa atrasos.

A cada dia, por mais que nenhum de nós tivesse pedido, você passou a ter menos controle sobre a minha vida. Não pôde escolher meus empregos como escolhia minhas escolas. Não pôde vetar aquela última dose de vodca como vetava o chocolate antes do almoço. Não pôde me ajudar com aquela baliza na vaga pequena como me ajudava com os pedais da bicicleta. Não pôde evitar a queda do meu celular na privada como evitou vasos quebrados por causa da bola dentro de casa.

E tudo aquilo que você fazia e que um dia me pareceu infernal – horários estipulados para voltar para casa na noite de sábado, olhares tortos para amigos que não te pareciam boa coisa, reclamações por tempo demais no telefone, controle do dinheiro que eu tentava gastar – agora faria todo sentido. Seria tão bom se hoje em dia você pudesse me garantir mais horas de sono, amigos mais confiáveis, uma conta de celular mais barata ou uma fatura de cartão de crédito um pouco menos imbecil...

Mas agora é comigo, pai.

E seria bom voltar ao tempo em que você me parecia imortal. Tempo em que era você quem se preocupava com a minha saúde e não eu com a sua. Tempo em que você tentava evitar meu resfriado ou ficava preocupado com meus 39 graus de febre. Mas hoje sou eu que cobro seus exames de sangue, seus exercícios físicos e tento te fazer ver que amendoim, álcool e carne vermelha não garantem uma velhice boa a ninguém.

Pois é, pai. No fundo, todo mundo já sabia que ia ser assim. Mas às vezes essa síndrome de Peter Pan nos invade, e a vontade de ficar debaixo de suas asas é quase irresistível.

Mas a vida chama.

Então me levanto, lavo o rosto, vou trabalhar. Porque você me levou no colo, me carregou nos ombros, mas também me ensinou a caminhar com minhas próprias pernas. E se hoje estou na estrada, trilhando caminhos bonitos, você bem sabe que isso é obra sua.

E sabe, pai? No seu aniversário posso te dar um presente. Provavelmente não será grande coisa. Não é aquele supercarro com o qual você ainda sonha, mas é fruto do meu trabalho. Fruto do que só existe por sua causa. Pela educação que você me deu, pelas notas das quais você reclamou na escola, pelas festas que você vetou em vésperas de prova.

E eu vou te olhar durante o almoço. Não com o encantamento que tinha aos 6 anos... Porque, aos 6 anos, era aquele amor cego das crianças. Hoje tenho esse olhar cirúrgico, avalio suas atitudes, aponto seus erros, reclamo dos seus defeitos. A verdade, pai, é que eu não te amo como antigamente. A verdade é que te amo ainda mais.

Te amo mais porque te vejo de verdade, com tudo de bom e de ruim, consciente de que você é um ser falho, como todos os outros, mas que, mesmo assim, consegue se manter como meu porto seguro, meu norte, aquele que me construiu, me guiou e ainda me guia, me acode nas quedas que não pode evitar, me ama com todos os meus defeitos e dá vida à ideia de "amor incondicional".

É, pai, hoje você já não é tudo aquilo que foi para mim um dia. Porque agora você é tudo aquilo que é para mim hoje. E hoje é amor dobrado, é amor firme e deliberado, desse filho, adulto e crítico, com um sentimento cada vez mais consolidado.

P.S.: Nunca chamei meu pai de pai. Meus irmãos, enteados dele (no papel, porque na vida são tão filhos quanto eu), cresceram chamando-o de "Pê". Eu, pequeno macaco de imitação, fiz o mesmo. Em algumas fases da vida me incomodei com isso, mas há um tempo descobri o livro chamado *Pê de Pai*. Então entendi. Pê nunca foi Pê de Pedro. Pê sempre foi Pê de Pai.

Pauzuzé

PAULO JOSÉ É O NOME DELE, muito embora tenha se tornado Pajé desde sempre. Meu irmão é oito anos mais velho do que eu. Mesmo assim, quando eu era criança, frequentemente queixava-me dele para a minha mãe, sobretudo em virtude de ataques de cócegas que ele impingia contra mim. Nessas horas eu dizia "Mãã, manda o Pauzuzé paraaaar", pois a voz chorosa de filha mais nova não me permitia pronunciar Paulo José de forma mais inteligível do que isso.

Meu irmão mede 1,83m. Acho que ele atingiu essa altura quando tinha uns 16 anos. Eu tinha 8 e, naquela época, nada na vida era mais legal do que dizer que meu irmão media 1,83m. Dizia isso para todo mundo, como quem noticiava algo realmente imperdível.

Lembro-me da primeira vez que percebi que, um dia, meu irmão poderia não viver mais comigo. Foi quando eu estava assistindo a televisão e vi uma propaganda do alistamento militar. Corri até meu pai e perguntei se era verdade. Se o Pauzuzé teria que fazer aquilo. Ele disse que sim, mas tentou me acalmar, afirmando que normalmente eles escolhiam meninos diferentes do meu irmão para serem soldados. Voltei para o sofá com um choro engasgado, lágrimas começando a escorrer e um verdadeiro pânico de pensar na ideia de ele estar com uma arma em vez de estar comigo.

Houve uma época, quando eu tinha uns 9 anos, em que ele me convidava para ir até o quarto dele depois do jantar para me explicar coisas. Ele me explicou o que era inflação. O que era a força da gravidade. Quem era cada um dos Beatles. O que era direita e esquerda. Como se contava até dez em japonês. Se àquela altura eu soubesse o que era ser Ph.D. na Universidade de Londres, não teria dúvida nenhuma de que o Pajé um dia o seria – como hoje, de fato, o é.

Meu irmão saiu de casa aos 17 anos para fazer faculdade no interior. Lembro-me de não querer entender muito o que estava acontecendo. Fingi não perceber todo aquele movimento. As malas, a matrícula na faculdade, as visitas à república na qual ele iria morar. Fiz vista grossa, desconsiderei e nem chorei. Talvez eu deva trabalhar isso na terapia. Acho que nunca ajeitei essa história dentro do peito, principalmente porque depois daquele fatídico ano de 1997 eu nunca mais tive a chance de ficar ao lado dele sem estar numa contagem regressiva.

Acredito que meu irmão seja a única pessoa que eu endeusei ao longo da vida. Não admirei tanto nem meus pais, nem o Papa, nem a Britney Spears nos seus tempos áureos. Sempre tive a sensação de que meu irmão era uma criatura intangível, muito diferente das demais. Minha irmã sempre foi terrena, sempre olhei para ela da mesma forma como olho para mim mesma. Mas com ele sempre foi – e ainda é – diferente. Talvez um semideus, uma divindade. Não sei explicar muito bem.

Nunca questionei a capacidade do Paulo José para nada. Tinha certeza de que ele era bom em tudo. E se ele ficava em recuperação em matemática todo ano na escola, era porque a matemática era uma porcaria, não ele. Acho que fui a única pessoa que não se preocupou quando meu irmão anunciou que seria pai aos 23 anos. Para mim era óbvio que ele seria um pai irretocável. Nunca me preocupei com a minha sobrinha, nem de longe, e hoje ela é mesmo incrível. Eu estava certa.

Pauzuzé é uma espécie de sina para mim. Até hoje sinto que preciso provar para ele que sou boa o bastante. Até hoje sinto necessidade de fazer com que ele se orgulhe de mim, embora ele nunca me cobre nada disso. Sei traduzir facilmente meu amor pelo meu pai, pela minha mãe, pela minha irmã. Mas meu amor pelo Pajé é diferente de todos os outros. Talvez porque eu sinta que não o tive pelo tempo que queria ter. Talvez porque eu tenha sede do meu irmão até hoje. Ou talvez porque ele, de fato, seja diferente de todas as outras pessoas do mundo.

Rua Professor Antônio Prudente

RUA PROFESSOR ANTÔNIO PRUDENTE, 211. Talvez algum dia eu esqueça meu próprio endereço, mas desse eu sei que não me esqueço mesmo que queira. Era lá. Descia na estação São Joaquim, andava três quadras na Vergueiro e entrava na Antônio Prudente com uma mochila nas costas. Esse não era um bom ponto de encontro para um grupo de amigas de 18 anos. Seria bem melhor se fosse o Parque Ibirapuera ou o Chicohamburger. Mas era lá no A.C. Camargo, belíssimo eufemismo para o hospital do câncer, que nós passávamos nossas noites de sábado, nossas tardes de domingo e o entardecer durante a semana. Era lá.

No início de 2006, nossos planos eram bem diferentes. Imaginamos viagens nos fins de semana e noites intermináveis com brigadeiro e DVD repetido. Não planejamos aquelas entregas de comida pálida no quarto nem as jarras de contraste antes das tomografias. Mas foi o que a vida trouxe e era lá que a gente vivia nossos dias, porque nenhum dos nossos planos fazia sentido se estivesse faltando uma. E se uma estava na Antônio Prudente, 211, todas estavam na Antônio Prudente, 211.

Aprendemos todas as rotas. Algumas se julgavam íntimas do hospital porque sabiam o roteiro crachá-elevador-quarto. Mas esse não era o nosso roteiro. Diariamente, extrapolávamos o limite de três visitantes. Sabíamos passar pelos fundos do Rei do Mate, pegar a escada dos médicos e subir sem crachá. O amor tem dessas marginalidades.

Conhecemos muitos andares, incluindo o da pediatria. Este era mais colorido e mais dolorido que os outros. Os vizinhos doíam mais. Conhecemos o cardápio do Rei do Mate de trás para frente, até o cheiro do pão de queijo tornar-se insuportável. Conhecemos cada um dos sofás da recepção. Os restaurantes de comida a quilo do bairro. As calçadas nas quais desmoronamos algumas vezes. Nós chegamos quase a nos habituar. Nas primeiras semanas, achamos que era um endereço passageiro. Nas semanas seguintes voltamos contrariadas. Nas subsequentes já não questionávamos mais. Levávamos material para estudar, esmalte para pintar as unhas, panelas de brigadeiro e até um aparelho de DVD. Não desistimos dos planos, apenas mudamos o endereço.

Há quem diga que a gente cresce quando sai da casa dos pais. Eu digo que a gente cresce mais na rua Professor Antônio Prudente, 211. Entramos ali meninas, preocupadas com provas, sofrendo por amores não correspondidos, nos queixando da demora do metrô enquanto esperávamos na plataforma. Saímos de lá mulheres, preocupadas em permanecer de pé, sofrendo por não podermos fazer mais nada, nos questionando sobre o sentido da vida.

Houve um dia em que eu corri para fora do hospital e me sentei na sarjeta, chorando com os olhos, a garganta e o estômago. Uma desconhecida que saía do hospital veio até mim, colocou a mão no meu rosto e disse "O que quer que seja, uma hora vai parar de doer". Nunca esqueci seu rosto. Eu tinha 18 anos.

A Má passou seu último fim de semana conosco. Sábado à noite, estávamos todos lá, não faltava ninguém. Antes de sair, eu contei uma piada e ela riu muito. Nunca consegui lembrar qual foi a piada. Dei um beijo nela e disse "Eu te amo, nega". A Má morreu num domingo, em 2007. Um mês antes, ela tinha completado 19 anos. E houve festa.

Na rua Professor Antônio Prudente, 211, nos despedimos. Escolhemos o vestido azul e o chapéu marrom para ela se despedir dos demais. Entrei no carro dos meus pais naquele domingo e já não tinha mais 18 anos. Não sei quantos anos eu tinha, nem sei quantos anos eu tenho. Talvez 211.

Mas eu sei que a moça tinha razão. Já não dói. Ainda é uma grande nuvem confusa que nunca deixará de ser, mas já não corta o peito, só aperta. São saudades e hipóteses, não são navalhas. Exceto o cheiro do pão de queijo. Esse ainda invade, revira e dói. Esse eu nunca superei.

P.S.: A Má sempre foi pequenina, baixinha, magrinha. Mas foi com ela que eu aprendi o que é grandeza. Encarar um câncer de frente, sem nunca amaldiçoar a vida, preocupada em manter-se forte por amor aos outros, rindo de tudo o que podia em cada um dos dias da sua batalha. Foi com ela que aprendi que é possível sair vitoriosa de uma luta mesmo quando você não a vence.

O colo de uma amiga

Tem dias que a gente acorda e não quer a mãe, nem o namorado, nem o sapato novo e nem mesmo o Adam Levine. Tem dias que a única solução é uma delas por perto. Você e elas. Elas. Que colocam o dedo na ferida e na sequência fazem seu curativo. Que te julgam e nunca te condenam. Que apontam todos os seus erros e desenham o mapa do caminho mais seguro. Que dizem que vão te matar se você fizer isso de novo e você faz de novo e elas não te matam. E te resgatam.

Tem dias que a gente só queria que não tivesse trabalho, não tivesse distância, não tivesse maridos, namorados e casos. Que a gente queria acordar como nos velhos tempos, edredons para dormir no chão, sem hora para levantar. Pijama e elas.

Elas. Do brigadeiro na panela, nada gourmet. Do *Diário de Bridget Jones*, do *Diário da princesa*, do *Diário de uma paixão*. Elas, diariamente. Elas, que são nossa terapia sem precisar dizer nada pelo simples fato de estarem lá, compartilhando as calorias, as frases decoradas dos filmes, as angústias secretas do nosso peito.

Tem dias que não dá para esperar até sexta. Que tem que ser agora, como era na escola, na faculdade, na pós, na chegada no trabalho. Que vocês iam até o banheiro para conversar e chorar e rir e demorar e curar. Banheiro e elas.

Elas. Que são onipresentes, que mesmo não estando, estão. Que mesmo quando a gente não pode se jogar em seus braços, nos amparam. E que mesmo que a gente não consiga nem falar, mesmo que elas não saibam de nada, o simples fato de pensar nelas já acalma.

Mas não basta.

Tem dias que o mundo parece injusto, que os dias parecem vazios, que as tecnologias parecem inócuas. Dias que a gente quer que elas peguem no nosso cabelo, digam que precisa hidratar. Que a gente quer segurar aquela mão tão conhecida, com esmalte lascadinho na ponta. Dias que a gente quer colo seguro de amiga. Segurança e elas. Elas. Que não têm o colo acolhedor de mãe, nem o peito protetor de um namorado, nem o poder de um sapato novo, nem o abdômen tatuado do Adam Levine. Mas que são um oásis quando a vida parece difícil, um norte quando estamos sem rumo, um cais para onde podemos eternamente voltar.

Elas, as únicas que brigam, apontam e julgam sem doer. As únicas que jogam as verdades evitadas, mas que em suas mãos viram purpurina. Elas, que colorem a vida nos dias cinzentos. Que adoçam o peito quando ele ameaça ficar amargo. Elas. Elas e mais nada.

P.S.: Escrevi esse texto num charmoso sótão lisboeta onde vivi quando cheguei em Portugal, completamente sozinha numa manhã de chuva e muito frio, doente e bem triste. Gastei uns três rolos de papel higiênico assoando o nariz de tanto chorar. Eu não tinha absolutamente ninguém para abraçar.

Estante-altar

Conforme os anos passavam ela ia aperfeiçoando algumas técnicas. Melhorou o traço do delineador, a pronúncia de "Côte d'Azur", o sabor do refogado e, sobretudo, a organização dos livros.

Não era boa para organizar quase nada: nem agenda, nem armário, nem pensamentos, nem bolsas. Mas quando o assunto era a separação criteriosa de livros, poucos poderiam superá-la.

Aos 14 anos, já separava crônicas numa prateleira, romances em outra e poesia numa terceira. Aos 18, inaugurou a estante dos jurídicos. Aos 21, reparou que aquilo não era suficiente. Separou contos de crônicas, romance histórico de ficção, nacionais de estrangeiros. Aos 24, viu sua estante invadida por filosofia e história e decidiu livrar novas prateleiras para tanto. No ano seguinte, quis que os livros de bolso ficassem separados, porque aquela oscilação de alturas não era tolerável.

Foi aos 28 que ela decidiu que deveria haver uma estante-altar. Um lugar de honra, um posto soberano de adoração para seus brâmanes literários. A estante-altar precisava ser pequena para exigir algum martírio na seleção. Uma espécie necessária de autoflagelo.

Decidiu que as quatro prateleiras da estante-altar seriam ocupadas, de baixo para cima, por biografias, arte, romance e poesia. Começou a refletir, angustiada. Já pensava nos seus irrenunciáveis *A dama das camélias*, *Do amor e outros demônios*, *Sentimento do mundo*, *O estrangeiro*, *O apocalipse dos trabalhadores*. Pensou na terrível hipótese de *Contos do nascer da Terra* e *Sagarana* não se encaixarem em nenhum dos estilos escolhidos. Via Vinicius, Alberto Caeiro e Manoel de Barros acenarem afetuosamente para ela.

Lembrou-se das biografias de Kiki de Montparnasse e Elza Soares. Não tinha muita clareza sobre o que sentia. Se gostava tanto assim dos livros ou só das personagens. Pensou no imenso livro de fotografias da vida de Frida Kahlo, na coletânea de pinturas e esculturas de Botero, nas obras de Vermeer, de Dalí e de Tarsila do Amaral e nas fotografias de Man Ray. Não estava disposta a renunciar a absolutamente nenhum.

Estava nervosa com a estante, com a escolha e com a imensa responsabilidade que carregava nas costas desde então. Sabia que aquele era um projeto de renúncias (duras renúncias que teriam que ficar nas prateleiras de sempre em vez de usufruir da sonhada promoção). Refletiu durante algumas semanas e concluiu que precisava de tempo. A estante-altar permaneceria vazia por alguns meses.

Passada uma semana, a estante-altar serviu de apoio temporário para umas revistas velhas que deveriam ir para a sala de espera do consultório de sua tia. Poucos dias depois, colocou ali um saquinho de pano com o par de sapatos que precisava devolver para a prima. O rádio que precisava levar à assistência técnica. Uns papéis do banco que não tinha certeza se já podia jogar fora.

A estante-altar foi rebaixada a depósito de bens sem-teto. Os livros permaneceram seguros nas prateleiras antigas. Ela nunca deixou de pensar no assunto, embora até hoje ainda lhe falte coragem para tomar alguma atitude a esse respeito.

A casa da minha avó

A CASA DA MINHA AVÓ tem um manacá. Tenho a estranha sensação de que ele fica florido o ano todo e não apenas nos três meses da primavera. Talvez seja só impressão minha. Ou talvez seja a presença da minha avó que encha tudo de flores roxas e brancas, 365 dias por ano.

A casa da minha avó é em Santo Amaro e é a mais bonita do mundo. Já estive na Toscana e em Provence e não vi nenhuma casa melhor do que a da minha avó. Vi maiores, vi mais caras, vi de tudo um pouco e nunca vi nenhuma casa que tivesse esse improvável aspecto de ser o melhor lugar do mundo. Mas a dela tem.

Na casa da minha avó, sempre que a gente chega, tem cabelos prateados à nossa espera. Não sei se há outro lugar no mundo onde eu me sinta tão bem-vinda. Meu marido sempre me espera, meus pais sempre me esperam, meus amigos sempre me esperam. Mas a minha avó me espera na porta. E nunca se importa que eu me atrase.

A casa da minha avó tem uma garagem pequena e vazia. Sempre que olho para ela me lembro do Gol preto do meu avô, no qual entramos depois dos pênaltis da Copa de 94 para buscar meu tio no aeroporto, enquanto buzinávamos e balançávamos bandeiras. Em 1995, já não havia mais meu avô nem Gol preto. Deram-no como parte do pagamento ao empreiteiro que fez obras na casa para tentar alegrar a minha avó. Já aviso: não funciona. Novas paredes não substituem velhos amores.

A casa da minha avó tem a sala impecável, arrumada, perfumada e sem pó, mesmo que a faxineira só a visite duas vezes por mês.

As flores nunca ficam com sede, os vidros nunca ficam embaçados, os quadros nunca ficam tortos. Espero aprender a ser assim até os meus 88 anos. Por enquanto, me contento em lembrar de guardar o leite de volta na geladeira.

Na casa da minha avó, a família inteira está presente, ainda que seja só nos porta-retratos. Ela coleciona amores. Os três filhos, os sete netos e as duas bisnetas estampam a sala com seus sorrisos largos e suas presenças raras. Em 2004, foi colocada a foto do casamento do meu irmão. Em 2013, do casamento da minha irmã. A ordem cronológica pedia que a próxima fosse eu, mas minha prima queimou a largada e passou na minha frente. Quem é que se casa aos 22, Julia de Deus?

Na casa da minha avó há um relógio verde na parede da cozinha. Embaixo dele, a mesa de madeira onde me sento e espero. Não posso fazer nada que não seja esperar, ela não deixa. E então começa: experimenta um pedacinho desse bolo. E esse pão fresco. Com geleia. Tem de damasco e de morango. Coloca requeijão também. Um suco de caju. Um Toddy quente. Manteiga Aviação. Queijo e presunto. Não importa se são 9h15, 14h30 ou 19h em ponto. Não importa.

Na casa da minha avó não se toma Coca-Cola, mas, misteriosamente, duas latinhas vazias surgiram por lá. Foi na época em que a empresa estampou as embalagens com os nomes das pessoas. Ela encontrou Rita e encontrou José. Juntou-as em cima da geladeira, como uma das únicas formas de ainda estar ao lado do meu avô, depois de 22 anos de viuvez. Acho que isso foi a coisa mais bonita que já aconteceu com a Coca-Cola.

A casa da minha avó é cheia de tricô. Mas ela só gosta de tricotar para os bebês. Para adultos, só cachecóis. E não para qualquer adulto. Só para aqueles que mereçam o suficiente para retardar a entrega do casaco de algum bebê. Eu mereço. O último foi o cinza. Antes o roxo. E antes o branco. E antes um todo colorido. São os melhores que tenho.

A casa da minha avó tem talco. Tem os perfumes do meu avô até hoje na prateleira. Tem um colar com um Teletubbie vermelho que eu dei para ela há uns vinte anos, não sei bem o porquê. Tem azulejos decorados na cozinha. Novelos de lã. Goiabada. E braços abertos. Os melhores braços abertos desse mundo. Nem os do Cristo Redentor ganham deles.

Tudo sobre minha irmã

ACORDEI, OLHEI PARA O CELULAR: mensagem dela, rindo. Postei um negócio nas redes sociais ontem e ninguém entendeu direito, só ela. E eu amanheci sorrindo porque ela entendeu. Porque ela sempre entende. Porque ela existe. Porque eu sei que enquanto houver ela, sempre haverá alguém que entenda.

Ela é muito diferente de mim. Uma fala pelos cotovelos, pelos joelhos, pelos calcanhares e a outra raramente pronuncia uma sequência maior do que quatro palavras em série. Uma penteia o cabelo três vezes por hora, a outra nem sabe a cor da própria escova. Uma é profissional exemplar, técnica, objetiva, a outra se atrapalha com os e-mails, tem medo de se impor, pede socorro.

Ela é muito igual a mim. A sobrancelha tão cheia de falhas. A dependência dos óculos. O ódio por salto fino. O jeito sorridente de olhar para a vida. A firmeza, *sin perder la ternura jamás*. A capacidade de dizer o que precisa ser dito na hora certa, por mais difícil que isso possa ser. A capacidade de reconhecer que as nossas falhas não moram só nas sobrancelhas.

Olho para trás e é mesmo incrível: nosso amor sobreviveu a uma quantidade inacreditável de pancadarias. As brigas pelos bombons da caixa azul de especialidades Nestlé. O "Vai tomar banho você primeiro – Não, você primeiro – Não, você vai primeiro porque eu falei primeiro". As canetas coloridas desaparecidas semeando a discórdia. As disputas por quem iria no banco da frente. Sobre o que tocaria no rádio. Sobre quem deixou o copo em cima do móvel. As polêmicas sobre os sapatos e brincos roubados na sexta à noite.

Foi ela que falou "Para de sair com esse cara que ele é um babaca" e eu respondi "Cala a boca, você nem conhece ele". E depois que o tempo passava... É claro que ela tinha razão. Ela sempre vê tudo o que eu não consigo ver. Fui eu quem sempre disse "Não faz isso que a mamãe vai ficar brava – Vai nada" e vinha a mamãe e ficava louca da vida. E as duas ouviam o sermão juntas, cúmplices, caladas. Hoje, adultas, continua igualzinho.

Foi ela que sempre esteve. Quando eu caí de boca do balanço. Quando arrumei encrenca com uns grandalhões na escola. Quando passei no vestibular. Quando tomei um pé na bunda e fui pro fundo do poço. Fui eu que sempre estive. Quando ela enfiou o joelho em uns pregos. Quando ela ficou em recuperação em história pela quarta vez. Quando ela começou no primeiro emprego. Quando ela teve a primeira contração para dar à luz.

É ela que conhece minha história toda. Às vezes até mais do que eu mesma conheço. Sou eu que conheço a dela, até naquelas partezinhas que nem ela lembra. É ela que sabe me dizer o que preciso fazer quando me desespero. Sou eu que sei dizer como o cabelo dela fica melhor. E mesmo que ela nunca me obedeça, eu continuarei dizendo.

É o cheiro dela que é o cheiro da minha casa em qualquer lugar do mundo. É o meu abraço que é a certeza que ela pode ter a qualquer tempo. É pra ela que eu posso falar um monte de coisa sem pensar. É comigo que ela pode fazer grosseria sem que eu a ame menos por isso.

É ela, minha companheira através do tempo. Que sempre esteve de mãos dadas comigo mesmo quando a distância achava que não ia permitir. A gente ri da distância. A gente ri do tempo e das dores do passado. É ela que me defende que nem bicho. É por ela que eu rosno, eu mordo e avanço. É para ela que eu olho. É ela que olha por mim. É ela. Sou eu. Somos duas. Somos uma. Somos, sempre fomos, sempre seremos.

Marina de Deus

MARINA.
Marina, que cara é essa?

Não me fala que é uma contração, PELAMORDEDEUS.

Marina, Marina, Marina.

A gente está no cabeleireiro, essa criança não me vai inventar de nascer BEM AGORA.

MARINA.

MARINA.

Eu sei. Eu sei que amanhã a barriga já completa 40 semanas.

Mas então por que você inventou de vir no cabeleireiro, MEU JESUS?

Sim. Eu sei, eu sei que nós estamos na frente da casa da mamãe, mas MESMO ASSIM, MARINA.

A mamãe está no SUPERMERCADO!

Eu sei, sei que seu marido está aqui no restaurante da esquina.

MESMO ASSIM, MARINA DE DEUS.

A gente nem comeu nada.

A GENTE NEM PASSOU EXTRABRILHO NA UNHA, MARINA.

Marina. Respira. Respira.

NÃO FICA NERVOSA, MARINA.

CALMA.

Você deixou as malas prontas? Deixou? Estão onde?

NA SUA CASA??? COMO ASSIM NA SUA CASA, MANO DO CÉU???

Por que você não deixou no carro, Jesus amado???

Você não está de carro?

Fui EU que te busquei???

EU???

É verdade. Fui eu.

POR QUE VOCÊ ME DEIXOU TE BUSCAR, MARINA?

Você deveria ter ficado em casa.

40 SEMANAS.

QUEM VEM FAZER A UNHA COM 40 SEMANAS, MARINA??

Eu sei que você está bem.

EU SEI.

Mas essa menina quer nascer, MEU DEUS.

E eu nem sei chegar na maternidade.

E A GENTE NÃO ALMOÇOU. NÃO ALMOÇOU.

Você trate de fechar bem essas pernas e esperar a mamãe chegar do mercado.

E o Luís acabar o tal almoço.

E a Grace passar extrabrilho na gente.

E o almoço. O almoço, MARINA.

Segura essa menina aí.

EU TÔ CALMA.

EU TÔ CALMA, MARINA DE DEUS.

P.S.: A Luísa ainda demorou 24 horas para nascer. Quando minha irmã entrou na sala de parto eu já estava tão "tranquila" que briguei com TODAS as pessoas que passaram na minha frente, incluindo meu cunhado, meus pais, o manobrista e a moça da floricultura. Saí do hospital, atravessei a rua, entrei sozinha num bar e duas horas depois, aos prantos e completamente embriagada, conheci minha sobrinha.

Didi

D<small>URANTE ANOS DA MINHA VIDA</small>, Didi era só um: Didi Mocó. Belo e soberano. Nunca fiz a menor ideia de quem era Renato Aragão, mas Didi Mocó, sim, fazia parte da minha vida bem mais do que muito parente. A adolescência chegou e o posto de Didi foi tomado por Didi Wagner, então VJ da MTV, cujo corte de cabelo e tonalidade das luzes eu tento imitar até hoje, sem sucesso.

Depois de adulta, o posto de Didi ficou vago. Nenhum dos dois aparecia mais nos meus dias e eu até pensei em anunciar a vaga na Catho. Ainda bem que não fiz isso. Tinha 26 anos quando minha irmã engravidou e não demorou muito até que ela me anunciasse o delicioso posto de madrinha da Luísa.

Madrinha foi uma palavra pela qual nunca nutri nenhum grande afeto, porque a palavra madrinha na minha história foi substituída pela expressão Tia Rê, que era muito mais completa. Tia Rê, minha madrinha, é tão incansavelmente completa que me levava até para ver corridas de cavalo e jogar golfe quando eu era criança. Disney, McDonald's, praia de Ipanema, banca de jornal, KFC, todos os filmes infantis do cinema – não faltou nenhum roteiro. Recentemente ela até comprou boas tábuas de madeira para cortarmos legumes na minha cozinha, para eu finalmente me livrar daquelas porcarias brancas de plástico riscado e cheiro encardido de cebola ultrapassada.

A palavra madrinha nunca me disse nada. Dinda também não me parecia grande coisa. Mas... Didi. Didi, sim. Didi dizia muito. Didi dizia tudo. Didi era um posto vago que me permitiria ter belos cabelos loiros, ser uma quase musa e ao mesmo tempo falar todas as besteiras possíveis, provocando as melhores gargalhadas daquela criança que ia nascer. Didi. Sim, eu queria ser Didi tanto quanto quis passar na OAB. Talvez até mais.

A Luísa levou um ano, um mês e uma semana para falar Didi. Foi no dia 23 de agosto de 2016, aniversário de Nelson Rodrigues, Tônia Carrero e Paula Toller. Estávamos num restaurante japonês, ela estava com um vestidinho florido de algodão que eu havia comprado uma semana antes e se divertia segurando uma fatia molenga de peixe branco. Didi. Didi. Ela disse: Didi.

Hoje completo três meses e cinco dias de Didi e um ano, quatro meses e doze dias como madrinha da Luísa. Uma coisa é uma coisa, outra coisa é outra coisa. Somos madrinhas por concessão dos pais. Somos Didi ou Tia Rê por conquista. Obrigada aos pais por me deixarem ser madrinha do bichinho. Obrigada, bichinho, por me reconhecer como sua Didi. A Didi é bem mais legal que a Ruth Manus. Obrigada por me fazer encontrá-la aqui dentro.

Um tabu: como vai a sua tese?

Existem muitos temas que são tidos como tabus. A vida sexual das pessoas, a vida financeira, os planos de funeral para o dia em que morrerem. Ninguém toca nesses assuntos en passant, quando encontram conhecidos na rua, num café ou numa festa de aniversário. Muitas vezes não tocamos nesses assuntos nem com as pessoas mais próximas, em tardes ociosas de domingo.

Mas eu não sei bem o que se passa na cabeça das pessoas que faz com que elas, tranquilamente, como se não fosse nada, perguntem:

E ENTÃO, MEU QUERIDO?

COMO VAI A SUA TESE?

ou COMO VAI SEU TCC?

ou COMO VAI A SUA MONOGRAFIA?

ou COMO VAI A SUA DISSERTAÇÃO?

Primeiramente: parem.

Segundamente: parem.

Vocês precisam entender que isso é um legítimo e verdadeiro tabu. Isso é uma questão de foro íntimo, complexa, secreta, sufocante, angustiante e velada. Isso não é menos invasivo do que perguntar sobre os problemas gastrointestinais de ninguém. Certo? Estamos entendidos?

Quando falo com a minha melhor amiga, a Amanda, eu posso perguntar quase tudo. Quanto ela está ganhando, como vai o casamento, quando ela vai mudar esse raio de corte de cabelo que tá uma porcaria, como vai a saúde dos pais, se ela já experimentou tomar diurético para desinchar o pé dela que parece uma bisnaga. Pergunto tudo diretamente, sem qualquer tipo de rodeio.

Mas essa semana me flagrei medindo minhas palavras cuidadosamente – como nunca fiz nesses últimos 15 anos – para perguntar como vai a dissertação de mestrado dela. Eu estava manuseando minhas palavras com pinça, escolhendo bem entre usar o verbo "acelerar" ou "agilizar" porque sei como é a vontade de postergar a banca para sempre.

Tenho consciência de que se trata de uma conversa invasiva. Mais invasiva do que a imensa maioria dos procedimentos ginecológicos ou tratamentos de canal. Por isso eu sei que só devo perguntar isso para pessoas com quem tenho muita intimidade e, ainda assim, pensando cinco vezes antes de dizer qualquer coisa.

Mas aí vem aquele primo que você vê duas vezes por ano, que ouviu dizer que você faz doutorado e pergunta, no meio da festa de família – na qual você pretendia apenas comer e olhar para os porta-retratos –, E A TESE DE DOUTORADO, JÁ TÁ ACABANDO? e pronto. Seu mundo caiu. Você lembra da bibliografia, do e-mail do orientador, do capítulo que você não consegue terminar, dos prazos, do pânico. "Acabando, acabando" a palavra ecoa na sua cabeça. Acabou a sua festa. Acabou. Mas você sorri e diz "Tá indo, tá indo..." enquanto morre por dentro.

Primo distante, colega de trabalho, ex-colega de universidade, amigos dos seus pais, concunhado, marido da sua amiga, enfim. Sempre haverá quem pergunte numa boa, como quem fala sobre o tempo, os feriados deste ano, o novo filme do Woody Allen.

Não é assim que funciona, tá, gente? Da próxima vez que for perguntar sobre a tese de alguém, imagine-se perguntando: "E aí, tem ido ao banheiro regularmente?" Se puder fazer essa pergunta a ela, tudo bem, você tem intimidade para perguntar da tese. Caso contrário, não. A intenção pode ser ótima, mas os resultados são devastadores. Nosso emocional não aguenta. Agradecemos a compreensão e seguimos trabalhando.

Para sua surpresa, eu sigo em frente

MÁRIO QUINTANA ESCREVEU "Todos esses que aí estão/ Atravancando o meu caminho,/ Eles passarão.../ Eu passarinho!". Elton John cantou "I'm still standing, better than I ever did". Jessie J perguntou "Who's laughing now?". Chico Buarque completou "Olhos nos olhos, quero ver o que você diz, quero ver como suporta me ver tão feliz".

Seja como for, ao longo do caminho são muitas as tentativas de nos fazer parar. De nos fazer deixar de acreditar e não ir adiante. Há, de fato, uma estranha espécie humana que associa as conquistas alheias aos próprios fracassos, ainda que não haja qualquer remota ligação entre as duas coisas.

Mas este texto não é para falar sobre elas. É para falar sobre nós. Nós que aguentamos firme, que deixamos as coisas entrarem por um ouvido e saírem pelo outro porque estávamos ocupados demais trabalhando e construindo a nossa estrada. Este texto é nosso, não é deles.

Este texto é apenas para celebrar a garra, a honestidade e a luta. E para dizer: I'M STILL STANDING. Sim, estamos de pé, apesar das pedradas e das puxadas de tapete. Mais especificamente: estamos de pé, o sol bate no nosso rosto, nossas músicas preferidas sempre tocam quando ligamos o rádio e dormimos noites incríveis com a cabeça leve no travesseiro.

Disseram-nos, nos tempos de escola, que não éramos bonitos o bastante. Que não jogávamos bola bem o bastante. Disseram-nos que não entraríamos naquela faculdade, nem conquistaríamos aquela vaga de emprego. Que as nossas táticas não eram as melhores, que precisávamos ter mais malandragem, mais malícia. Nunca tivemos. E olha só onde viemos parar.

Muitos de nós foram sacaneados por acreditar. Tomaram um pé na bunda. Ou dois. Ou três. Outros foram traídos. Dividimos cama com outros casos. Mas sempre saímos pela porta da frente. Fomos criados assim. Talvez nunca tenhamos sido os mais espertos, mas certamente sempre fomos os mais honestos. E, curiosamente, a vida tende a nos recompensar por isso.

Cochicharam enquanto passávamos pelo corredor. Disseram que nunca ocuparíamos aquele lugar. E no dia em que ocupamos, disseram que duraria pouco. E durou muito. Disseram que não merecíamos. Enquanto isso nós trabalhávamos, honrando cada segundo do que conquistamos.

Disseram que éramos bobos demais. Sorridentes demais. Pretos demais. Gordos demais. Mulheres demais. Lentos demais. Novos demais. Velhos demais. Sonhadores demais. Que nossos projetos eram otimistas demais. Disseram que tínhamos fé demais. Bom, devemos informar que luta e fé nunca existem em doses excessivas e nós somos resultado disso.

Os que não encontram nenhum sentido neste texto curiosamente tendem a ser os que cochicham a nosso respeito nos corredores. Permitam-me um conselho: saiam dessa vida. Sejam maiores do que isso.

Porque, sabe? Nós abandonamos relacionamentos abusivos, nós largamos empregos infelizes, nós perdoamos, nós começamos tudo de novo, nós mudamos de carreira, nós acreditamos na vida e, acima de tudo, nós seguimos sendo estes ingênuos para os quais vocês tiveram que aprender a olhar com algum respeito. Tempo, tempo, tempo, tempo, és um senhor tão bonito.

O que você vai ser quando crescer?

AOS 6: DENTISTA
AOS 10: dona de escola
AOS 17: professora de francês
AOS 19: delegada da delegacia da mulher
AOS 20: promotora da infância e da juventude
AOS 22: juíza do trabalho
AOS 24: cronista
AOS 25: professora de Direito Internacional
AOS 26: advogada de consultivo trabalhista
AOS 28: escritora
(presumo, na sequência)
AOS 30: poetisa
AOS 34: criadora de memes
AOS 37: romancista
AOS 41: professora de Direito Internacional
AOS 45: crítica gastronômica
AOS 49: J. K. Rowling
AOS 53: professora de dança indiana
AOS 57: crítica literária
AOS 61: avó
AOS 64: astróloga
AOS 69: filósofa
AOS 73: confeiteira
AOS 77: CEO da Random House
AOS 81: bombeira

AOS 85: investidora
AOS 90: modelo
AOS 94: motorista de Globetrotter
AOS 98: ativista

Filha da PUC

N ÃO FAÇO A MENOR IDEIA de quando foi o primeiro dia em que pisei na Pontifícia. Esse deve ser um dia muito remoto em meio às minhas primeiras lembranças de vida. Confesso que, ao longo da faculdade, tive até uma certa inveja dos amigos que diziam "Lembro do dia em que entrei na PUC pela primeira vez e...". A vida nem me deu chance. Mas ainda bem.

Meus pais se conheceram naqueles corredores em 1969 – diz ele que já gostava dela, ela diz que é mentira, nunca saberemos – e praticamente nunca mais saíram de lá. Então acabei crescendo como se a PUC fosse uma mistura de quintal de casa, de parente próximo, de presença intermitente. A PUC sempre foi assunto na mesa do almoço e um destino repetido no banco do carro.

Meu irmão fugiu para a Unicamp, mas minha irmã ficou na PUC e eu também. Fizemos durante anos aquele caminho de todo dia: Nhambiquaras, República do Líbano, corta caminho, cruza a Nove de Julho, sai na Brasil lá na frente, cruza a Rebouças, Henrique Schaumann, Sumaré, sobe, passa o mercado Pastorinho e vira à direita. Ano após ano, até cansar.

O problema é que o tempo passou e a PUC deixou de ser essa tal de todo dia. E aí virou saudade. Saudade de comer pastel na feira às terças, de tomar açaí sentada na escada da prainha, de tomar cerveja na terceira aula em horários sem cabimento, de comer aqueles sanduíches naturais muito caros do quarto andar, saudade de afugentar pombas, de morrer de medo de ter bicho no lanche do Centro Acadêmico, saudade de comer milho antes da aula à noite, saudade de cometer o grave pecado de entrar na biblioteca com uma garrafa de água escondida embaixo do casaco. A PUC pertence àquela espécie que nunca vai ser bem um lugar. É, sei lá eu, estado de espírito, destino, profundeza, amor, ódio, ausência dolorida. A PUC é personagem da história de quem passa por ela, gostando ou não. É a lembrança de um cheiro de flor misturado com maconha e croissant de presunto e queijo. É a visão sincera da feiura do prédio novo (que já é velho) e do charme decadente do prédio velho (que é mesmo muito velho). É um emaranhado de rampas confusas e de lembranças que valem mais do que o salgado preço das suas mensalidades.

E vale dizer: na biblioteca da PUC, se você for à seção de dissertações, procurar a letra "M" e for até Manus, vai se deparar com a do Pedro, a da Maria Eugenia e a da Ruth. Uma ao lado da outra. Pedro é meu pai, Maria Eugenia é minha mãe. Confesso que quando descobri isso fiquei com os olhos cheios de lágrimas. Não tem jeito. Sou filha da PUC até nas prateleiras. Que orgulho.

Ser professor nos tempos do cólera

A PRIMEIRA VEZ QUE me chamaram de professora, tive um imenso sentimento de culpa. Sentia-me uma impostora, recebendo um título que eu julgava não merecer. Era meu primeiro dia de aula como professora universitária, eu tinha 22 anos. Demorei para me acostumar com essa palavra, que até hoje me soa mais como elogio do que como mera forma de tratamento.

Hoje em dia, já viro o pescoço quase toda vez que ouço alguém dizer "professora", não importa a hora nem o lugar. Fenômeno parecido com o que acontece com pais e mães quando ouvem essas palavras. Parece que determinados títulos se tornam equivalentes aos nossos próprios nomes, a ligação entre nós e eles é imediata.

Uma vez, estava num bloco de Carnaval em Ipanema quando uma aluna gritou "PROFESSORA!". Disfarcei as cervejas e dei um abraço sorridente. Outra vez foi no Guarujá. Encontrar aluno em trajes de banho, uma coisa terrível na vida de qualquer professor. Também já teve encontro no Mercado Municipal, no meio do sanduíche de mortadela. Na fileira de trás do avião. No meio de show no Rock in Rio. Na sala de espera do exame de sangue. Não tem escapatória, na alegria e na tristeza, na saúde e na doença.

Achava que a coisa mais impressionante que tinha me acontecido nesses anos tinha sido no dia em que emparelhei com uma viatura da polícia militar e um policial gritou "PROFESSORA!". Quase enfartei até entender que era o Márcio. E, sem pensar duas vezes, comecei a dar uma bela bronca no policial dizendo que ele andava faltando muito às aulas. Depois, calculei que ele estava armado e que poderia ter me prendido por desacato. Mas professores são professores, não tem jeito.

Contudo, certa vez em Lisboa aconteceu uma coisa ainda mais impressionante. Eu estava no metrô, umas oito da noite, torcendo para chegar logo e assistir ao jogo Benfica x Napoli pela Champions League. O vagão estava vazio. Um rapaz entrou e veio caminhando para o assento em frente ao meu, sentou-se, olhou para a minha cara e... "PROFESSORA!". Fiquei confusa, não dou aula em Lisboa. Mas na hora em que olhei para a cara dele tive certeza de que era meu aluno.

Ele explicou. Foi meu aluno na zona leste de São Paulo. Formou-se em Administração de Empresas e tinha tido aula de Direito do Trabalho comigo uns quatro anos antes. Disse que me escreveu, perguntando o que eu achava de um MBA na Universidade Nova de Lisboa. Lembrei-me da conversa e de ter lhe dito que era uma ótima ideia. E cá estava ele, tinha chegado sozinho havia dois dias, numa cidade que não conhecia, para encarar seu maior desafio.

Trocamos contatos, um abraço e desci na minha estação. Eu mal podia acreditar. Nem sei dizer qual probabilidade era menor: a do menino entrar no mesmo vagão e se sentar na minha frente ou a do menino simples da zona leste voar até a Europa para fazer um MBA numa universidade de renome.

Subi as escadas do metrô e encontrei a noite fria. Caminhei pensando na honra que eu sentia por ter feito parte da formação e do caminho daquela pessoa. Fiquei pensando na medonha situação na qual o Brasil mergulhou e na asquerosa fala de um ministro da Educação que disse que quem pode pagar universidade, como seus filhos, fará curso universitário, e quem não puder pagar simplesmente não fará.

Como professora de uma faculdade particular direcionada para a classe média baixa na zona leste de São Paulo, doeu pensar que poucos meninos como aquele voarão – sobretudo daqui para a frente. Mas como professora vocacionada de corpo e de alma, incuravelmente otimista e inconsequentemente intransigente, pensei que nada vai nos fazer parar. Nem corte, nem PEC, nem nada. Seguiremos questionando, criticando e pressionando. As salas de aula seguirão como berçário do inconformismo. E nós, professores, seguiremos firmes como seus obstetras.

A doce vida de um advogado

A DOCE VIDA DE UM ADVOGADO começa de manhã cedo. Porque tem audiência, tem prazo, tem trânsito. Acordamos, tomamos um banho e um café preto, colocamos sapatos que apertam, gravatas que apertam, saias que apertam. Alguns pegam o carro, que de uns poucos é Mercedes, Audi e Jaguar, e de uns muitos é Palio, Celta e Corsa. Outros tantos pegam metrô, ônibus e trem. Uns pegam a bicicleta, outros a moto. E começa o dia.

Dia esse que começa com a cabeça cheia. Mas tudo bem, porque os dias também terminam com a cabeça cheia. A gente vai se habituando. Reunião com cliente. Chamar o cara que conserta a impressora. Tirar aquela dúvida com o contador. Comprar o novo código. Preparar três defesas e dois recursos. Tirar cópias. Ver se aquele pagamento atrasado caiu.

Poucos sabem que na nossa doce vida tem um número incontável de clientes insanos. Que gritam, que mandam sete e-mails em vinte minutos, que nos ligam no domingo, que nos acusam de não estar dando atenção ao caso dele, mesmo que estejamos acompanhando o andamento todo santo dia.

Poucos sabem que tem cliente que simplesmente não nos paga. E não são poucos. E que esses honorários que a gente deixa de receber não servem para comprar bolsas caras ou ternos italianos. Servem para pagar aluguel, pagar o estagiário, comprar os livros que embasam nossas teses. E, mesmo quando os clientes pagam, nem sempre o orçamento fecha.

E nesse doce dia a dia a gente estuda. Lê o Código de Processo que mudou. Lê artigos sobre o que mudou no Código de Processo. Advogados, depois de pelo menos cinco anos de estudo, se matriculam na pós. Vão a congressos. Palestras. Seminários. Querem fazer mestrado. Quando não vão, quase sempre é por falta de grana. Porque com a falta de tempo e com a falta de saúde a gente já aprendeu a lidar, fazer malabarismo, fazer milagre.

E o engraçado é que, para o senso comum, todo mundo pode ganhar dinheiro. O jogador de futebol, pelo talento. O artista, pelo dom. O médico, pelos estudos. O engenheiro, pela dedicação. Mas o advogado não. Se o advogado ganha bem, todo mundo já acha que é porque se aproveita dos clientes, faz esquema. Não pode ser por talento, nem dom, nem estudo, nem dedicação.

A verdade é que enche o saco ficar ouvindo que advogado é o cara que explora as pessoas, ganha dinheiro fácil, enrola todo mundo. Existe advogado desonesto? Sim. Assim como médico desonesto, engenheiro desonesto, jogador de futebol desonesto. Mas digo com a maior tranquilidade: esses caras são exceção, não regra.

Conheço advogados que ficaram ricos. Como? Estudando muito, trabalhando madrugadas, sacrificando outros projetos. Também conheço um monte de advogado que tá sem grana. Por azar, por parcerias erradas, por erro de administração. Mas não conheço nenhum, nenhum advogado que esteja rico ou pobre porque trabalha pouco. Trabalhar pouco e ser advogado são expressões que nunca andam juntas.

Onze de agosto é dia do advogado. Todo ano, nessa data, escuto um parabéns ou outro, recebo e-mails da OAB, da AASP. Sou professora e advogada. Uma profissão endeusada, outra totalmente estigmatizada. Um 15 de outubro é sempre muito diferente de um 11 de agosto. Eu não coloco asas de fada e uma tiara de flores para dar aula, nem coloco capa vermelha, chifres e um tridente na mão para ir ao escritório. Sou a mesma pessoa, professora e advogada. Vivo como todos os advogados que conheço, que ralam, tomam porrada, dormem pouco, têm torcicolo, têm preocupações infinitas, ouvem piadas, ouvem grosseria, fingem que não ligam e seguem em frente.

Não espero flores nem presentes por ser advogada. Mas espero respeito. Carrego uma carteirinha vermelha na bolsa e um orgulho imenso no peito pelo que faço. Sou advogada. Tenho orgulho das minhas olheiras e da minha trajetória. Tenho orgulho de pertencer a essa classe que batalha pela própria sobrevivência e pelo direito alheio. Tenho orgulho de desempenhar função essencial à justiça, ainda que o mundo pareça nos ver como inimigos. Mas sabemos quem somos e quanto lutamos. E chega de conversa, que mimimi não interrompe prazo. E tem prazo vencendo hoje. Sempre tem prazo vencendo. E a gente tem que vencer os prazos. E vencer os casos. Tamo junto.

Por que meus amigos mudaram tanto?

H OUVE UM TEMPO EM QUE tudo parecia muito estável e muito seguro. Tudo e todos. Eles eram todo dia os mesmos e nós achávamos graça nas mesmas piadas, assistíamos aos mesmos programas na TV, gostávamos das mesmas bandas. Nossos tímidos planos de viagens eram conjuntos, nossos planos para o fim de semana harmonizavam perfeitamente. Esse tempo passou.

Hoje em dia é um pouco estranho. Os tipos de humor mudaram. Cada um assiste a uma série diferente – somente *Game of Thrones* ainda é capaz de unir parte de nós. Alguns ouvem Liniker enquanto outros elevam o volume ao máximo berrando *Cake By The Ocean*. Uns fumam, outros não comem carne, outros só sabem se divertir com muito destilado, outros insistem em propor restaurantes que cobram 150 reais por cabeça. A gente acaba ficando confusa.

Poderia dizer que hoje tenho um rol muito mais rico e diverso de amigos. Opiniões diferentes, programas de vários estilos, trilha sonora variada. Mas não vou mentir: sinto falta de como tudo era antes. Sinto falta de quando a gente marcava um hambúrguer e pronto, chegava, ria, dividia a conta e estava tudo bem. Hoje tem que ter antecedência, tem debate sobre o lugar escolhido, tem uma leve sensação de que nossos velhos conhecidos, por vezes, se tornam novos desconhecidos – com hábitos, propostas e roteiros inéditos.

Talvez o sinal mais evidente seja o fato de as nossas amizades terem passado a viver de lembranças. Nos encontramos e começamos a falar sobre aquele dia engraçadíssimo de 2001, sobre aquele namorado esquisito que a Ju tinha aos 15 anos, sobre o porre na viagem de formatura. Nos apegamos às nossas melhores memórias e parece que são só elas que ainda nos unem. Sentados numa mesa de restaurante, ruminamos o nosso delicioso passado e então eu me pergunto: o que estamos construindo para nos lembrarmos daqui a outros 15 anos? Ou as memórias de escola e faculdade deverão perdurar até lá?

Dói bastante perceber os desencontros. Uma liga muito para a marca da roupa, outra só para a legenda partidária. Um milita contra a homofobia, outro ainda faz piada com homem que usa camisa cor-de-rosa. Uma namora um advogado e outra um artista plástico. É fácil entender por que encontramos refúgio tão seguro nas memórias. As diferenças do presente nos assustam e é mais fácil nos divertirmos com as semelhanças do passado.

Mas a parte mais difícil é assumir que a gente também mudou – e não foi pouco. É fácil culpar os outros, dizer que um era mais divertido antigamente, outro era mais maleável, o terceiro não namorava esse babaca de hoje, a quarta não era workaholic, o quinto não ficava citando filósofos no bar. Mas e a gente? A gente também não mudou? Também não frustra em certa medida as expectativas e as lembranças alheias? É claro que sim, o tempo não perdoa ninguém.

A única coisa que segue segura é o afeto. Só nos encontramos – quando as agendas permitem – por causa do afeto que perdura. É ele quem resiste às nossas divergências políticas, aos nossos cônjuges que não têm nada a ver um com o outro, aos nossos empregos que não dialogam, aos nossos interesses tão díspares. É o afeto que toma porrada, que vê aquela gente tão mudada, mas que permanece de pé e resiste, agarrando-as. É por ele que a gente insiste. É por ele que a gente não larga o osso.

E o afeto mora no melhor lugar possível: no outro. Aquela pessoa que mudou a cor do cabelo, o tipo de roupa e o discurso ainda é aquela na qual nosso afeto se instalou há tantos anos e se nega a ir embora. E talvez a gente precise entender que não é necessário usar o passado como escudo. Se o afeto ainda mora ali, nós ainda somos os mesmos. Todo o resto – bolsa, tom de voz, bebida e trabalho – é carcaça. A essência não mudou.

De fato é mais fácil culpar o outro, culpar a vida, maldizer o presente e vangloriar o passado do que trabalhar as diferenças com afeto. É chato chegar ao bar e escolher carinhosamente um assunto que agrade o outro. É mais fácil chegar e falar sobre o que nos interessa e reclamar que as conversas não fluem. Mas não tem jeito: todo amor dá trabalho. E sabe? São eles. São os amigos da vida toda, ainda são eles. Eles valem a pena. Eles continuam sendo a base, mesmo que tenham mudado de aspecto. Não desistam de mim, queridos. Eu vou sempre insistir em nós.

Meu quintal é maior do que o mundo

Quando o mundo abandonar o meu olho
Quando o meu olho furado de belezas for esquecido pelo mundo
Que hei de fazer?
Quando o silêncio que grita do meu olho não for mais escutado
Que hei de fazer?
Que hei de fazer se de repente a manhã voltar?
Que hei de fazer?
– Dormir, talvez chorar.

In: Meu quintal é maior do que o mundo
– Manoel de Barros

NÃO É EM TODO MUNDO que a poesia bate forte. Em mim sempre bateu. Mas quando li Manoel de Barros, a poesia pulou de nível no meu peito. Passou a ocupar um lugar diferente de tudo. Leio Manoel de Barros com periodicidade, assim como quem vai ao dentista ou como quem faz revisão no carro. Transformou-se, mesmo, numa necessidade.

Cresci numa casa com um grande quintal, em formato de U. Meu universo partiu dali. Mas tive a sorte de ter uma família que nunca permitiu que eu acreditasse que o mundo era aquilo: o meu quintal, a minha casa, os meus medos, os meus problemas. Entendi logo que, para ser grande, era preciso ver além daquele quintal.

Entendi que meu olho precisaria gritar. Meu olho, minhas letras, minhas palavras. Entendi que meu grito poderia ser silenciado e que isso não poderia me fazer parar. Que hei de fazer quando meu grito for pouco? Quando meu grito for fraco e abafado? Talvez dormir, talvez chorar. Mas, acima de tudo, seguir gritando.

A incrível geração de mulheres que foi criada para ser tudo o que um homem NÃO quer

À S VEZES ME FLAGRO imaginando um homem hipotético que descreva assim a mulher dos seus sonhos: "Ela tem que trabalhar e estudar muito, ter uma caixa de e-mails sempre lotada. Os pés devem ter calos e bolhas porque ela anda muito com sapatos de salto, pra lá e pra cá. Ela deve ser independente e fazer o que bem entende com o próprio salário: comprar uma bolsa cara, doar para um projeto social, fazer uma viagem sozinha pelo Leste Europeu. Precisa dirigir bem e entender de imposto de renda. Cozinhar? Não precisa! Tem um certo charme em errar até no arroz. Não precisa ser sarada, porque não dá tempo de fazer tudo o que ela faz e malhar. Mas acima de tudo: ela tem que ser segura de si e não querer depender de mim nem de ninguém." Pois é. Ainda não ouvi esse discurso de nenhum homem. Nem mesmo parte dele. Vai ver que é por isso que estou solteira aqui, na luta. O fato é que eu venho pensando nisso. Na incrível dissonância entre a criação que nós, meninas e jovens mulheres, recebemos e a expectativa da maioria dos meninos, jovens homens, homens e velhos homens.

O que nossos pais esperam de nós? O que nós esperamos de nós? E o que eles esperam de nós? Somos a geração que foi criada para ganhar o mundo. Incentivadas a estudar, trabalhar, viajar e, acima de tudo, construir a nossa independência. Os poucos bolos que fiz na vida nunca fizeram os olhos da minha mãe brilharem como as provas com notas 10. Os dias em que me arrumei de forma impecável para sair nunca estamparam no rosto do meu pai um sorriso orgulhoso como o que ele deu quando entrei no mestrado.

Quando resolvi fazer um breve curso de noções de gastronomia meus pais acharam bacana. Mas quando resolvi fazer um breve curso de língua e civilização francesa na Sorbonne eles inflaram o peito como pombos. Não tivemos aula de corte e costura. Não aprendemos a rechear um lagarto. Não nos chamaram pra trocar fralda de um priminho. Não nos explicaram a diferença entre alvejante e água sanitária. Exatamente como aconteceu com os meninos da nossa geração. Mas nos ensinaram esportes. Nos fizeram aprender inglês. Aprender a dirigir. Aprender a construir um bom currículo. A trabalhar sem medo e a investir nosso dinheiro. Exatamente como aconteceu com os meninos da nossa geração. Mas, escuta, alguém lembrou de avisar aos tais meninos que nós seríamos assim? Que nós disputaríamos as vagas de emprego com eles? Que nós iríamos querer jantar fora em vez de preparar o jantar? Que nós iríamos gostar de cerveja, uísque, futebol e UFC? Que a gente não ia ter saco pra ficar dando muita satisfação? Que nós seríamos criadas para encontrar a felicidade na liberdade e o pavor na submissão? Aí, a gente, com nossa camisa social que amassou no fim do dia, nossa bolsa pesada, celular apitando os 26 novos e-mails, amigas nos esperando para jantar, carro sem lavar, quatro reuniões marcadas para amanhã, se pergunta "Que raio de cara vai me querer?".
"Talvez se eu fosse mais delicada... Não falasse palavrão. Não tivesse subordinados. Não dirigisse sozinha à noite sem medo. Talvez se eu aparentasse fragilidade. Talvez se dissesse que não me importo em lavar cuecas. Talvez..." Mas não. Essas não somos nós. Nós queremos um companheiro, lado a lado, de igual pra igual. Muitas de nós sonham com filhos. Mas não só com eles. Nós queremos fazer um risoto. Mas vamos querer morrer se ganharmos um liquidificador de aniversário. Nós queremos contar como foi nosso dia. Mas não vamos admitir que alguém questione nossa rotina. O fato é: quem foi educado para nos querer? Quem é seguro o bastante para amar uma mulher que voa? Quem está disposto a nos fazer querer pousar ao seu lado no fim do dia? Quem entende que deitar no seu

peito é nossa forma de pedir colo? E que às vezes nós vamos precisar do seu colo e às vezes só vamos querer companhia pra tomar um vinho? Que somos a geração da parceria e não da dependência? E não estou aqui, num discurso inflamado, culpando os homens. Não. A culpa não é exatamente deles. É da sociedade como um todo. Da criação equivocada. Da imagem que ainda é vendida da mulher. Dos pais que criam filhas para o mundo, mas querem noras que vivam em função da família. No fim das contas a gente não é nada do que o inconsciente coletivo espera de uma mulher. E o melhor: nem queremos ser. Que fique claro: nós não vamos andar para trás. Então essa mentalidade é que vai ter que andar pra frente. Nós já nos abrimos pra ganhar o mundo. Agora é o mundo que tem que se virar pra ganhar a gente de volta.

P.S.: Este foi o segundo texto do blog. Sua repercussão me deixou em pânico. Pensei em desistir de tudo isso. Até hoje não sei bem o que sinto em relação a ele. Um misto de gratidão e enjoo. De toda forma, obrigada.

Carta aos pais de um filho gay

Um dia encontrei uma amiga da minha mãe chorando de forma tão desesperada que tive certeza de que um de seus filhos havia morrido. Meu coração foi à boca. Sabendo que todos estavam vivos, comecei a me perguntar qual deles teria descoberto que sofria de uma grave doença. Nenhum. O choro da mãe era porque um dos filhos tinha revelado ser homossexual naquela manhã.

Eu não vou dizer que vocês, pais de filhos gays, não tenham razão para se preocupar. Têm, sim. Todos os pais têm. Preocupar-se é a mais natural das características dos pais. Preocupam-se com a nossa alimentação, com os nossos agasalhos, com nossos estudos e, sobretudo, com a forma como as pessoas que povoarão nosso caminho nos tratarão. E, sim, nesse ponto eu entendo a preocupação dos pais de um filho gay. Porque tem muito imbecil por aí. Mas o mais importante é que os primeiros imbecis desse caminho não sejam os próprios pais dessa pessoa.

Não escrevo este texto para os pais que acham que ser gay é uma ofensa a Deus, uma vergonha, uma aberração ou uma simples opção de um filho. Neste nível de ignorância eu acredito que seja inútil tentar penetrar. Escrevo esta carta, de coração, aos pais que não sabem bem como agir. Aos que teoricamente os aceitam, ou pelo menos pensam aceitar. Escrevo também aos pais que suspeitam ter um filho homossexual e não sabem como lidar. Escrevo aos bons pais que se esforçam para apoiá-los e que estão dispostos a fazer o melhor que podem.

O fato é que existem muitas léguas de distância entre o ato de aceitar e o ato de acolher. Entre a mera tolerância e a necessária compreensão. Entre o mero olhar sem censura e o tão esperado abraço que diz: "Eu te aceito, te acolho, te amo e me orgulho de você, independentemente de qualquer coisa." Aceitar não é tudo. É só um primeiro passo.

Lembro-me bem da madrugada na qual um namorado terminou um relacionamento de sete anos comigo. Destruída, fechei a porta para ele ir embora pela última vez e corri para o quarto dos meus pais, às três da manhã. Eu sabia que não estava sozinha e que a minha dor seria suportada por eles. Eu sabia que tinha uma rede. Já um amigo, gay, quando sofreu a mesma dor, foi chorar no banho. Saiu do banho olhando para baixo, fechou-se no quarto, esperando que seus pais – que aceitam sua homossexualidade – não perguntassem nada. Porque eles nem sabiam que o filho vivia um relacionamento estável que já durava cerca de três anos.

A questão é: até quando tantos pais esconderão a poeira debaixo do tapete? "Seja gay, a gente tolera, mas saiba que nunca trataremos isso com naturalidade." Esse é o discurso que ninguém diz e que segue velado em tantas famílias. É preciso abrir este caminho, mostrar aos seus filhos que vocês se interessam pela vida afetiva deles tanto quanto se interessariam pela de um filho hétero. É preciso sair da zona de conforto, que foca as conversas no trabalho, no dinheiro e nas amenidades, buscando fugir de tudo o que diz respeito à homossexualidade em si.

Não tenha medo de perguntar quais são os lugares que ele frequenta. Nem com quem ele vai, nem qual música toca. A vida de um gay não é mais nem menos promíscua que a de um hétero. Não é a orientação sexual que determina se alguém vai dormir com uma pessoa a vida inteira ou com três na mesma semana. Isso não tem nada a ver com ser gay ou não. Livrem-se desses dogmas.

Participe da vida do seu filho gay. Pergunte sobre seus sonhos. Se ele quer casar, se vai querer festa, se vai querer um buquê, seja ele homem ou mulher. Pergunte se ele sonha com filhos. Se vai querer adotar, se pensa em inseminação ou numa barriga de aluguel. Pergunte se ele gosta daquelas camisas brancas que você compra para ele ou se preferia que elas fossem floridas. Pergunte à sua filha se ela se protege no sexo, ainda que saiba que o tipo de relação que ela mantém não resulta em gravidez. Mostre que você se importa e que o espaço de diálogo entre vocês pode ser cada vez maior. Mostre ao seu filho que ele é muito mais importante do que seus amigos conservadores. Mostre que você está disposto a abrir mão desses seus "amigos" que ficam escandalizados com a homossexualidade em respeito a ele. Mostre que esse tipo de gente não te interessa mais, porque quem julga que seu filho não é bom o bastante por amar pessoas do mesmo sexo merece todo o seu desprezo.

Faça com que eles percebam que, por você, tudo bem se a tia Loló ficar chocada com o fato de o sobrinho-neto ser gay. Tia Loló deu sorte de estar viva em 2016 e ela precisa conviver com isso. Mostre ao seu filho que você não está mais preocupado em poupar a tia Loló, o tio Tonico, a prima Rosângela e seus trigêmeos do que em fazer com que ele se sinta bem e livre na festa de família pela primeira vez. Quando a tia Loló perguntar "Como vão as namoradinhas do Rafael?", responda tranquilamente "É namoradinho, tia Loló, ele se chama Mateus, é engenheiro, um rapaz ótimo". Se a tia Loló engasgar com o amendoim, bata nas costas dela. Mas não bata no ego do seu filho, trancafiando-o num eterno armário de vidro.

Você nunca deixou seu filho chorar sozinho quando era criança. Você nunca se envergonhou do nariz escorrendo nem da roupa suja no fim do dia. Você sempre se orgulhou daquela criança e dizia para quem quisesse ouvir: "Sim! É meu filho!" Por que isso haveria de mudar agora? Quais os olhares que passaram a ser mais importantes do que os olhares de amor dele para você e de você para ele? A quem você confere a legitimidade de julgar o seu filho a ponto de te tornar omisso na vida dele? A quem você se rende para não abraçá-lo da forma mais sincera e entregue?

Já é hora, mãe. Já é hora, pai. Acolham seus filhos de forma integral antes que seja tarde demais. Não compactuem com mais choro no banho, mais segredos, mais mentiras. Não abram mão de ouvir histórias boas, histórias alegres, histórias de amor. Nem abram mão da convivência com seus novos genros e noras.

Acima de tudo, não permitam que a noção de "amor incondicional" torne-se uma farsa na relação de vocês. Mostre ao seu filho todo dia que seu amor por ele é infinitamente maior do que a miséria humana que julga, aponta e condena determinadas formas de amar. Mostre ao seu filho que o mundo pode virar-se contra ele, mas que seus braços serão sempre um lugar seguro onde ele é bem-vindo por ser exatamente quem é.

A *vida começa no fim da sua zona de conforto*

Conforto. CONFORTO é uma palavra deliciosa. Conforto nos remete diretamente à ideia de um edredom branco, bem fofinho e cheiroso no qual nos afundamos nos fins de semana. Mas experimente colocar "zona de" na frente do conforto para vê-lo estragar automaticamente.

Eu me lembro bem. Faltava meia hora para a minha banca de mestrado, eu estava tão apavorada... Com enjoo e tudo mais, surtando. Lembro de me perguntar por que é que eu me metia nessas coisas, em vez de ficar sossegada. Segundos depois deparei com a seguinte frase solta pelas redes sociais: "A vida começa no fim da sua zona de conforto." Parei. Li outra vez. Aquilo fazia algum sentido. Transformei o pânico em frio na barriga. Entrei na sala, defendi minha dissertação e deu tudo certo.

É engraçado pensar quantas vezes nós usamos desculpas esfarrapadas para esconder nossa falta de coragem. Não vou me candidatar a esse curso porque não tenho tempo (e não por medo de não ser aprovado), não vou fazer essa viagem porque não quero gastar dinheiro (e não por medo de avisar no trabalho que vai ficar uma semaninha fora), não vou ligar porque ele não é tudo isso (e não por medo de ouvir um não).

A vida é povoada de nãos, de medos, de riscos. E sair da zona de conforto é trabalhoso. Custa coragem, custa tentativa, custa alguns erros, alguns empregos, alguns relacionamentos, algumas certezas. Mas a zona de conforto, frequente e ironicamente, é bastante desagradável. É o trabalho das 8h às 18h. O trânsito na ida e na volta. É a mesma comida, a mesma coisa na televisão. O mesmo domingo, as mesmas queixas. A zona de conforto está lá, nos cozinhando em banho-maria, matando os nossos dias devagarzinho, acinzentando nossos hábitos.

Não tem jeito: se a gente não fizer mais do que costuma e sabe fazer, a vida vai ficar sempre igual. Se a gente não se meter em umas encrencas, não se colocar em certos desafios, não jogar meia dúzia de coisas pro alto, a vida nunca vai ficar mais vida do que ela é.

Adoro o Po, do *Kung Fu Panda*, porque ele é exatamente isso. Ele se sente extremamente inapto para os desafios que a vida lhe impôs – não sabe lutar, não sabe treinar, não se sente à vontade naquele ambiente, preferia ficar comendo, sentado num cantinho –, mas sabe que precisa encarar. E sabe que, de um jeito ou de outro, tudo vai dar certo.

Eu me sinto como o Po em muitas esferas da vida. Um certo sentimento de inadaptação. De não saber se sou capaz. É assim toda quarta-feira com o blog, dá medo. Foi assim quando tive que escrever o primeiro livro. Quando entrei no mestrado. Quando advogo em causas grandes. Quando mudei de país. Quando entrei no doutorado. Mas a gente tem que acreditar. Tem que pegar os desafios pelo chifre, rir da zona de conforto e seguir em frente.

E não há sensação melhor do que conseguir. Às vezes com maestria, às vezes com certa mediocridade, mas conseguir. E mesmo nas vezes em que a gente não consegue... Tentar também faz muito sentido. Faz sentido sair do raso, do previsível, do seguro (que morre de velho ou morre de chato).

Faz sentido abrir a janela, abrir a porta, colocar a cara no sol. Porque a vida está lá fora. E ficar sempre aqui dentro é uma escolha. Uma escolha triste, mas possível e até bastante confortável. Esse é o perigo.

E se eu te contar que você é feminista?

Certa vez fui dar aula sobre assédio sexual num curso de pós-graduação em São Paulo. Cheguei à sala, composta predominantemente por advogados, e perguntei: "Quem aqui se considera feminista?" Silêncio. Uma moça levanta timidamente o braço. Dois ou três caras fazem comentários baixinho e riem. Falei: "Ok. Vou fazer duas leituras rápidas para vocês." Continuei: "Dicionário Houaiss da Língua Portuguesa: FEMINISMO: teoria que sustenta a igualdade política, social e econômica de ambos os sexos.

Dicionário Jurídico da Professora Maria Helena Diniz: FEMINISMO: movimento que busca equiparar a mulher ao homem no que atina aos direitos, emancipando-a jurídica, econômica e sexualmente."

Esperei um pouquinho e mudei a pergunta: "Quem aqui pode me dizer que NÃO se considera feminista?" Ninguém levantou a mão.

Pois é. Tenho a sensação de que 99% do mundo não entendeu até agora o que é feminismo. Porque, se as pessoas entendessem, quase todo mundo teria orgulho de se dizer feminista. E o melhor: dizer "Eu não sou feminista" seria considerado algo mais feio do que dizer "Eu não gosto de filhote de golden".

Não vou perder tempo aqui dizendo que feministas não são mulheres que não se depilam, não usam sutiã e não transam. Primeiro porque ser feminista não tem a ver com ser mulher, tem a ver com ser humano. Segundo porque nunca entendi que raio os pelos têm a ver com posicionamentos ideológicos. Terceiro porque sutiã serve para sustentar peitos, não para sustentar ideias. E quarto porque já vi gente deixar de transar por causa da igreja, por causa de promessa, por falta de opção, por infecção ginecológica, problemas de ereção... Mas por feminismo nunca vi. Alguém já viu? Enfim. Acho que ser feminista não é bom ou ruim. Ser feminista é necessário. Uma vez ouvi uma amiga dizer: "A mulher que diz que nunca foi discriminada é apenas uma mulher muito distraída." É simples assim. Não precisamos ir até o Oriente Médio. Não precisamos visitar tribos africanas. Não precisamos ir ao sertão do Nordeste. Não precisamos ir até a periferia de São Paulo. Não precisamos sair dos nossos bairros. O machismo que limita, que agride, que marginaliza, que ofende, que diminui, mora ao lado, dorme por perto.

E agora, quem poderá nos defender? O feminismo. O mesmo feminismo que nos tornou civilmente capazes e independentes perante a lei. O mesmo feminismo que nos possibilitou votarmos e sermos votadas. O mesmo feminismo que segue lutando diariamente por uma sociedade mais justa para mulheres, homens, mães, pais, filhas, filhos, trabalhadoras e trabalhadores.

No século XIX, as brilhantes irmãs Brontë escreviam usando pseudônimos masculinos por saberem que suas obras não seriam aceitas na sociedade se os leitores soubessem que as autoras eram mulheres. Se não fosse o feminismo eu provavelmente também não estaria escrevendo aqui neste momento. Pelo menos não como Ruth.

Nós precisamos falar sobre feminismo. Com nossos amigos, nossos pais, nossos filhos, grandes ou pequenos. É hora de falar sobre igualdade entre meninos e meninas. É hora de falar que meninas podem jogar bola e ter carrinhos e que meninos podem cuidar de bonecas. Quem não quer ter um filho feminista? Quem não quer que eles vivam num mundo de igualdade, no qual nem meninos nem meninas sejam massacrados pela truculência do machismo?

Em 2015 o tema da redação do Enem foi a violência contra a mulher. Milhares de jovens tiveram que parar para pensar sobre isso. Que avanço lindo. Pensar é sempre o primeiro passo. Perceber que a questão existe, que o tema não é antiquado e que, infelizmente, as questões de gênero estão muito longe de serem superadas. A violência persiste, a discriminação no ambiente de trabalho persiste, a desigualdade salarial persiste, a discriminação com as tarefas domésticas persiste, as pequenas (e não menos graves) agressões machistas do dia a dia persistem. Então a luta tem que persistir. O feminismo não é de esquerda nem de direita. Não é só para mulheres nem é só para homens. Não é ameaça. Não é um estranho. Mas perceba que quando você trata os feministas na terceira pessoa do plural, excluindo-se deste rol, você está afirmando não fazer parte do grupo que prega a igualdade de oportunidades entre homens e mulheres. Pense bem de que lado você quer estar.

Se você percebeu que é feminista, fique tranquilo. Nós não contaremos para ninguém. Mas sabe? Se eu fosse você, sairia contando para todo mundo. Porque ser feminista é bonito, é importante, é sinal da inteligência e da decência de qualquer ser humano. Como diz o lindo livrinho da nigeriana Chimamanda Ngozi Adichie (leiam, ele é pequenino e indispensável): *Sejamos todos feministas*. E o mundo será melhor a cada dia. Pode apostar.

O quanto o machismo também reprime os homens

COMO TODOS SABEMOS, o comportamento machista não é exclusividade masculina. Há homens machistas, mulheres machistas, músicas machistas, livros machistas, doutrinas machistas. Da mesma forma, o feminismo não é uma luta apenas das mulheres. O feminismo não é o contrário de machismo, mas é a luta por igualdade entre homens e mulheres. E isso interessa a todos nós.

A mentalidade machista mata, fere, humilha e reprime mulheres todos os dias, em todos os cantos do mundo. E nós precisamos lutar diariamente contra esse tipo de comportamento, mesmo quando ele se apresenta de forma sutil, disfarçado de piada, de pequena censura.

Mas não são só as mulheres que são vítimas do machismo. Obviamente não estamos comparando dores nem nivelando os potenciais das agressões. As maiores vítimas do machismo sempre serão as mulheres. Mas talvez esteja na hora de entendermos que a vida de todo mundo seria melhor sem ele.

Começa muito cedo. O antiquado "Menino não chora" ainda circula por aí. Por vezes ele se traveste de "Vai ficar chorando que nem uma menina?". O machismo tenta enfiar as lágrimas de volta nos olhos dos meninos, que já crescem com duas ideias erradas: a de que eles não podem ter fragilidades e a de que toda menina é frágil por natureza.

Depois os meninos são tolhidos nos brinquedos. Uma menina jogando bola ou brincando de carrinho pode até ser aceita (embora o mundo prefira vê-la com uma cozinha de plástico cor-de-rosa). Mas um menino com uma Barbie jamais passará ileso. Um menino que queira brincar de ser pai de uma boneca será motivo de preocupação. Um menino com um bambolê. Um menino que se divirta penteando cabelos.

Mais tarde são os cursos universitários: nutrição, enfermagem, psicologia, pedagogia, design de interiores, gastronomia? O machismo está pronto para mandá-los para a engenharia, o direito e a administração de empresas. Nas profissões não é diferente. Um amigo que estuda em Barcelona é excelente com crianças, pensou em se oferecer para cuidar de algumas. Mas quem aceitará "um" baby-sitter? Será um pedófilo? Um pervertido? Além disso, misturam-se conceitos, associando profissões a orientação sexual, e, de repente, o simples fato de um homem gostar de cortar cabelos ou desenhar roupas já o torna gay aos olhos do machismo. Uma coisa não tem nada a ver com a outra, mas o machismo é muito burro.

O machismo convence o mundo de que um homem deve sentir-se vexado por ganhar menos que uma mulher. Convence o mundo de que um homem que abra mão da carreira para cuidar dos filhos é um fracassado disfarçando sua incompetência profissional. Convence-nos de que o homem, sexualmente, deve funcionar como uma máquina que nunca poderá ter falha alguma, seja no porte, na performance ou na vida útil. De que o homem precisa dirigir bem, manobrar com facilidade, saber trocar pneu, desentupir ralo e trocar resistência de chuveiro. De que o homem não deve usar antirrugas, nem corretivo para acne e olheiras, nem filtro solar. De que o homem não deve ter medo de barata, de escuro, de altura, de ficar solteiro, de não poder ter filhos, de se aposentar e sentir-se inútil.

O machismo não costuma matar homens (a não ser que esse homem beije outro homem no meio da avenida Paulista). O machismo prefere matar mulheres. O machismo odeia todas as mulheres que não se encaixam em seu asqueroso e pobre padrão. Mas também odeia os homens que não correspondem às suas tristes expectativas. E reprime-os. Julga-os. Condena-os. Não os mata com armas de fogo, não os espanca no chão da cozinha, não os violenta nos becos escuros. Mas mata, sim, a cada dia, um pouco da sua liberdade, da sua paz, dos seus sonhos.

Morte grande e sangrenta ou morte pequena e sutil, somos todos vítimas do mesmo machismo. E a luta contra ele é uma só: uma luta sem gênero, protagonizada por todos os que sabem que não queremos seguir por caminhos trilhados por uma mentalidade tão pobre, tão atrasada e tão carregada de ódio.

O dia em que roubaram meu iPhone

S EMPRE TIVE MUITA SORTE. Perambulei muito de transporte público em São Paulo ao longo da vida e nunca me aconteceu absolutamente nada. Cruzo regiões perigosas da cidade sozinha quase todo dia, à noite, de carro, e também nunca tive nenhum aborrecimento.

Mas ninguém passa ileso a vida toda, né? Menos de dois meses depois de ter comprado um iPhone parcelado, calculado, um pouco sofrido, levaram-no embora. Como a vida é muito bacana comigo, na verdade não fui roubada, mas furtada, sem nenhuma violência ou maiores sustos.

Um pequeno detalhe: foi em Milão, num restaurante legal, enquanto me deliciava com comidinhas cheias de azeite e tomate fresco. A ironia já começa aí: uma paulistana que nunca sofreu violência no Brasil, furtada na Europa.

Mas eu queria ter sido furtada por um homem com cara de mau, de quem pudesse ficar com muita raiva e desejar que ele se lascasse na próxima esquina. Não foi bem isso que aconteceu.

Fui furtada por duas meninas de, no máximo, 11 anos, com carinhas de cigana, que vêm da miséria do Leste Europeu, exatamente de onde veio minha família Manus, fugindo da pobreza e da guerra. Eu tive essa sorte, elas não. Elas se aproximaram da mesa pedindo dinheiro e pegaram meu celular, que estava lá, dando sopa, em cima da mesa, enquanto cortávamos uma fatia de pizza para lhes dar.

Foram embora e, quando me dei conta, era tarde demais, o iPhone com a capa cor-de-rosa cafona já tinha ido embora. A dona do restaurante queria que eu fosse à delegacia. Foi quando, naquele misto de raiva e tristeza, pensei: e se acharem as meninas? Eu posso ter o iPhone de volta, mas o que vão fazer com elas? Pensava nelas e só conseguia imaginar minha sobrinha, que tem a mesma idade.

Minha vontade era de pegá-las pelo braço, com a cara mais severa que consigo fazer, e ter com elas a mesma conversa dura que teria com a minha sobrinha se ela voltasse da escola com um estojo que não fosse dela. Não queria que policiais armados, truculentos e grandalhões as procurassem nas ruas naquela tarde cinzenta. Não fui à delegacia, não sei se por medo, compaixão, hipocrisia ou princípios.

Pois é.

Estamos nesse mundo no qual crianças da mesma idade vivem em dois lados diferentes: as que jogam joguinhos no nosso iPhone e as que são treinadas para roubar iPhones. É um mundo muito doente. É um sistema todo burro, todo errado e escancaradamente injusto e falido.

Não vim fazer campanha contra a redução da maioridade penal. Eu, como advogada, professora e ser humano, sou supercontra a redução. Mas não tenho saco nem saúde para persuadir as pessoas. Somos todos adultos, com acesso à informação e alguma lógica na cabeça. Cada um que pense por si. (Peço que também me poupem de tentar me convencer do contrário, minha opinião é fruto de dez anos de estudo.)

Só vim refletir sobre essa dualidade, sobre esse vergonhoso paradoxo da desigualdade social, com o qual asquerosamente nos habituamos a viver. Vim porque é fácil imaginar o menor infrator como um mini-homem sem caráter. Mas a regra não é essa. A regra é eles serem como essas meninas: vítimas de um sistema burro. De uma vida miserável. De um Estado ausente. Da ausência de cuidado e da ausência de parâmetros.

Só vim me perguntar até quando as pessoas vão clamar por melhores políticas de segurança e não por melhores políticas sociais. Por mais rigor e punição e não por mais educação e inclusão. Até quando as pessoas vão confundir justiça com vingança e vão querer transformar o direito em canhões voltados ao que lhes incomoda? As meninas roubaram meu iPhone. Mas, muito antes disso, a infância e o futuro delas foram roubados pelo sistema podre com o qual diariamente compactuamos. No fim das contas, acho que não perdi tanto assim. Já comprei outro, ainda estou pagando, mas ele está aqui do lado, seguro, branquinho, com uma nova capinha colorida bem brega. Já as meninas... Bom, elas devem continuar por aí, inseguras, sujas de rua, sem nada de colorido, engolidas pelo mundo do crime, aguardando que alguém lhes estenda a mão. Ou que lhes seja apontada uma arma.

O que é mais provável?

P.S.: Em outros termos, redução da maioridade penal não é nem nunca será solução para reduzir a violência. Muito pelo contrário.

O que aprendi sobre
Direito do Trabalho

Nesses vários anos estudando Direito do Trabalho quase todo santo dia – na graduação, na iniciação científica, no TCC, em uma pós-graduação no Brasil, em duas pós na Europa, no mestrado e agora no doutorado –, eu aprendi bastante coisa.

Aprendi que o Direito do Trabalho é um dos grandes pilares de um Estado Democrático de Direito. Aprendi que sem Direito do Trabalho é praticamente impossível que haja a chamada "dignidade da pessoa humana".

Aprendi que o verdadeiro Direito do Trabalho não serve só aos trabalhadores nem é prejudicial às empresas. O Direito do Trabalho existe para tentar equilibrar uma relação que é desequilibrada por natureza. Onde não há igualdade natural, é preciso que haja igualdade jurídica.

Aprendi que as empresas não são inimigas da sociedade. E que sobretudo as pequenas e microempresas são as primeiras a sofrer num cenário de crise. E que os empresários lutam muito para tentar manter as coisas de pé. E que nunca é fácil. Aprendi a não confundir os pequenos empresários com as grandes corporações que detêm uma parcela gigantesca do poder econômico de um país.

Aprendi que o Direito do Trabalho carrega uma cruz pesada, cheia de estigmas, como se a sua existência fosse um favor em vez de ser um direito social. Aprendi que, apesar de o Direito do Trabalho não ser de direita nem de esquerda, ele acaba distorcido e ameaçado a cada vez que cai nas mãos de quem esteja a serviço de grandes e específicos interesses.

Aprendi que o Direito do Trabalho sempre é o primeiro a ser fuzilado. A matéria-prima está cara? Vamos reduzir os salários. A tributação é absurda? Vamos renegociar as condições dos trabalhadores. O Estado é corrupto, há milhares de desvios? Vamos fazer uma reforma trabalhista.

Aprendi que a legislação envelhece e que é preciso atualizá-la. E que atualizar a lei é exatamente o oposto de desregulamentar. Que quando um parlamentar diz que está modernizando a lei e, para tanto, precisa subtrair dezenas de direitos, isso só pode ser fruto de ignorância ou de má-fé.

Aprendi que em Estados sérios não se tenta resolver crise econômica com reforma trabalhista. Que uma coisa não se confunde com a outra. Que afirmar que uma reforma trabalhista é a salvação de um país em crise é como dizer que é possível curar um câncer tratando uma tendinite.

Aprendi que a promiscuidade que existe na relação entre o Estado e as grandes empresas, sobretudo multinacionais, é uma ameaça muito maior à sociedade do que uma legislação antiquada. E aprendi que as decisões acerca da lei são tomadas exatamente por quem não depende delas.

Aprendi a ter dúvidas sobre supostas vantagens. Aprendi a ter medo de atalhos. Aprendi a desconfiar de soluções milagrosas. Aprendi que trabalho é sinônimo de luta. E aprendi que, mesmo quando as coisas tomam rumos tão sombrios, a gente tem que seguir lutando.

Pequeno dicionário do machismo (parte 1)

O MACHISMO, POR SER conservador por natureza, não tem o hábito de reinventar-se. As expressões "inofensivas" e "bem--humoradas" que perpetuam a ignorância e a desigualdade são as mesmas há muitas décadas, reproduzidas até hoje por muitos homens e também por um número considerável de mulheres. Este é um pequeno dicionário de expressões machistas – algumas clássicas e evidentes, outras mais sutis e escorregadias.

A de Ajudar nas tarefas domésticas

O machismo gosta muito do verbo "ajudar". Ajudar é algo moralmente bem-visto porque não se trata de uma obrigação, só faz quem quer. Num cenário no qual homem e mulher trabalham fora de casa, o machismo adora cultivar o verbo "ajudar" em vez de optar pela democrática (e correta) expressão "fazer a sua parte", seja na casa ou no cuidado com os filhos. O ato de ajudar assemelha-se muito à noção de fazer um favor. E o machismo adorar cobrar favores mais tarde, com sua tradicional síndrome de autoridade.

B de Boa coisa não deve ser

O machismo também aprecia dizer que mulheres que usam roupa curta ou justa não devem ser boa coisa. Assim como mulheres que nunca se casaram não devem ser boa coisa. Assim como mulheres que já se casaram muitas vezes não devem ser boa coisa. Porque para o machismo não basta considerar-se no direito de julgar uma mulher: é preciso tratá-la como coisa também.

C de Casa, comida e roupa lavada

A expressão "casa, comida e roupa lavada" pertence à mesma família do "bela, recatada e do lar" e também tem fortes ligações com a noção de "ajudar em casa". Casa, comida e roupa lavada é o patamar mínimo de conforto para o machismo. Obviamente não é ele quem garante essa tríade, mas sim uma mulher, seja ela a mãe, a irmã, a cunhada, a esposa, a filha, a nora, a neta, a sogra ou a empregada. Nunca um homem. Ou pelo menos nunca um "homem de verdade", como veremos adiante.

D de Difícil mesmo é trabalhar com mulher

Como se sabe, o machismo não é exclusividade dos homens. Mulheres muitas vezes também protagonizam cenas de machismo. E essa expressão é uma das que são proferidas por mulheres quase com tanta frequência quanto por homens, ainda que isso configure uma evidente autossabotagem. Porque, para o machismo, mulher não tem opinião forte nem espírito de liderança: mulher dá chilique e é mandona. Trabalhar com mulher é mesmo uma tarefa muito difícil – mas apenas quando se pensa dessa forma.

E de Essa é pra casar

Além de classificar as mulheres em "boa coisa" ou não, o machismo também classifica as mulheres em "pra casar" ou "pra pegar". Claro que os critérios para essa classificação só envolvem aparência física, forma de se vestir, desempenho nas tarefas domésticas e vida sexual pregressa. Ninguém se preocupa se a mulher "pra casar" é inteligente, bem-humorada ou divertida. Até porque o machismo acha uma certa graça nessa história de pular cerca.

F de Filha minha vai ser freira

Como veremos adiante, o machismo gosta muito de pronomes possessivos. Uma das utilizações preferidas dos pronomes possessivos é para a expressão "filha minha", seguida de alguma regra intransponível, sexista e sem cabimento. Porque o machismo também gosta muito de andar por aí disfarçado de ciúme ou de superproteção. Embora nenhum dos dois seja boa coisa, eles ainda parecem menos vergonhosos do que o machismo puro e simples, in natura.

G de Gorda

Gorda é uma das palavras preferidas do machismo. O ato de chamar uma mulher de gorda é uma espécie de auge ideológico. Porque trata-se de uma prerrogativa que sintetiza o direito de julgar uma mulher, o direito de classificá-la de acordo com seus interesses, o direito de olhar para ela apenas pelo viés da estética, o direito de tratar mulher como objeto e o direito ao desprezo. Os machistas se sentem muito poderosos ao chamar uma mulher de gorda, não se sabe bem por quê. Cientistas ainda estudam esse fenômeno.

H de Homem de verdade

Machistas não entendem muito (frequentemente não entendem nada) acerca de homossexualidade, muito menos sobre questões de identidade de gênero. Machistas gostam muito de dizer que gay, transexual, travesti e drag queen é tudo a mesma coisa. Há um certo orgulho nessa ignorância, como se isso reforçasse a masculinidade deles. Eles resumem tudo na célebre expressão "não é homem de verdade", como se "homem" fosse um conceito fechado e "verdade" fosse um conceito universal. O machismo, sobretudo, tem a certeza de ser dono da verdade.

I de Impedimento

O machismo gosta muito de pensar que os homens são os únicos que dominam determinados assuntos. Basicamente não se cogita que mulheres entendam de futebol, mecânica, finanças, lutas e cerveja. Quando uma mulher dá a entender que manja de futebol, o machismo infla-se de poder e diz "então me explica o que é um impedimento", como se tivessem o direito de testá-las e como se isso fosse algum desafio para mulheres que acompanham a Champions League, o Campeonato Pernambucano e a Bundesliga. O machismo realmente não entendeu nada acerca do século XXI.

Sobre padrões estéticos e mágoas

Segunda-feira, dia em que mesmo quando a gente acorda na hora, sabe que já está atrasado. E foi numa dessas que coloquei meu tênis, peguei minha mochila e saí para a academia.

Quando entrei no elevador – Jesus, que susto! –, quem é aquela mulher, de cara lavada e olheiras profundas? Quem? Eu? Como assim, eu? Sim. A verdadeira "eu", que está sempre oculta embaixo de uma bela camada de maquiagem. Na pressa, não me lembrei de nada e saí com a minha própria cara. Que choque. Estava pronta para mandar o elevador de volta para o meu andar e para fazer, com corretivo e blush, minha cara voltar a ser o que não sou, mas que acho que devo ser. Foi quando pensei: "Pera lá, Ruth. Academia. Dá pra ir sem corretivo nas olheiras, vai? Ninguém vai enfartar de medo da sua cara."

E fui. E ninguém desmaiou. Nem riu. Nem me perguntou de que caverna eu saí. Podem ter pensado, isso podem. Mas também podem ter pensado "Olha, aquela moça tem olheiras que nem eu. Não estou sozinho".

Voltei para casa, tomei meu banho e comecei a trabalhar. Decidi gravar um vídeo no Snapchat. Quando abri a câmera pensei "Opa! De novo! Essa Ruth desmaquiada. Não posso gravar assim". Parei. Pensei de novo. O que será que é mais bacana para meus seguidores (sobretudo os do Snap, tão novos)? Eu aparecer sempre ajeitada e produzida, fazendo-os se perguntar se só eles são mortais, normais, descabelados, com espinhas no queixo, enquanto a blogueira aqui está sempre arrumada? Melhor isso ou ser de verdade?

Coincidência ou destino, recebi minutos depois uma mensagem

de uma amiga que é professora de ensino médio. Ela ficou me contando que passou um texto meu para seus alunos. Era um texto sobre ser nariguda, no qual eu brincava com isso e falava da minha aceitação – e até carinho – pelo meu narigão. Ela pediu para os alunos escreverem sobre suas características incômodas e como lidavam com elas. Fiquei com os olhos cheios de lágrimas. Seguem alguns trechos:

"As crianças que falavam comigo me faziam ficar inferior a elas, pela minha estatura fora do normal. Ficavam me xingando ou me chamando de 'poste de luz', 'girafa', entre outras coisas. Queria bater neles, não queria me sentir inferior a ninguém." Luiz Gabriel

"Por que cacheado? Por que não liso? Eu não gostava do meu cabelo, me achava diferente das outras pessoas... Ele era cheio, volumoso, cheio de ondinhas que pareciam miojo, enfim, eu detestava." Giovanna

"Muita gente tem marca de nascença, e eu sou uma dessas pessoas. Eu tinha muito receio e até uma certa vergonha de usar algumas roupas ou biquíni só pelo fato de ela aparecer. Já fizeram muitas brincadeiras de mau gosto comigo, já fiquei mal de verdade por conta dessas brincadeiras." Maria Carolina

"Uma parte da minha infância foi marcada pelo apelido Dumbo, porque eu era gordinho, baixinho e, óbvio, orelhudo. Não aceitava de jeito nenhum esse apelido, tinha vontade de não sair mais de casa. Chegar perto de um espelho, então, 'somente para ver dos ombros pra baixo'." Allef

"Faz uma franja, não use tiara, não prende o cabelo assim. Com tantas pessoas falando, às vezes acabamos escondendo nossa testa com uma franja ou uma touca. Não ligue quando derem um tapa na sua testa e falarem que dá para amaciar carne ali." Larissa

Por que será tão fácil nos acusarmos e acusarmos os outros, nos condenarmos e condenarmos os outros por sermos como somos e tão difícil cultivarmos afeto pela nossa natureza? Não é difícil entendermos, se sairmos olhando as imagens com as quais somos bombardeados diariamente. Pessoas impecáveis, corpos esculpidos com Photoshop. Tudo montado, tudo estruturado. Natural acharmos que só nós, mortais, temos defeitos.

Então chega, né? Chega de ser escrava da maquiagem. Chega de boné escondendo a testa, o cabelo ou a careca. Chega de cinta modeladora, de calcinha que aperta a barriga. Chega de barba para esconder o queixo pontudo. Chega de secar o cabelo todo dia no verão. E chega, sobretudo, de apontar essas "falhas" nos outros. Chega de ser mais um dedo que julga aqueles que já são julgados diariamente por si próprios.

A gente pode gostar de tudo isto: de batom, de corretivo, de cabelo alisado, de barba, de boné. Mas a gente precisa gostar mais da gente. Precisa se abraçar de vez em quando e se aceitar do jeito que é. Precisamos elogiar os outros. Reduzir as críticas, as piadas, os risos. A gente nem pode mensurar o mal que isso faz, para nós e para os outros. E nem imaginamos quantas empresas lucram milhões com a nossa autoestima no chão. Que sentido faz contribuirmos com elas, e não conosco e com as pessoas que nos cercam?

Luiz Gabriel, garotos altos são lindos e dão os melhores abraços. Deve ter muita gente querendo um abraço seu. Giovanna, acabei de gastar uma nota num aparelho para encaracolar meus cabelos, aproveite os seus que são assim naturalmente. Maria Carolina, eu também tenho uma mancha de nascença, vermelha, no pescoço. Aprendi a achar um charme, prendo o cabelo só pra ela aparecer. Allef, eu também era chamada de Dumbo. Acabei me rendendo a uma cirurgia plástica. Vou me orgulhar de você se não fizer o mesmo. E se decidir fazer um dia, vou ser a primeira a entender. Larissa, dizem que testa grande é sinal de inteligência. Eu realmente acredito nisso, porque minha irmã tem uma testa enorme e é uma mulher brilhante. E, por sinal, também é linda, independentemente do tamanho da testa.

Eu nem conheço vocês, mas uma coisa garanto: vocês são muito mais fantásticos do que pensam ser. A gente tem essa péssima mania de achar que somos bem menos do que somos realmente. Não se rendam a isso não. ♥

A injustiça da boa forma

ANDEI PENSANDO OUTRO DIA que essa coisa de ficar em forma, além de ser difícil, também é muito injusta. Por exemplo, quando fiz meu mestrado, sacrifiquei noites, perdi festas, surtei, mas... dois anos depois eu tinha um título. Pronto, virei mestre. Mestre para sempre. Agora, no doutorado, o raciocínio é o mesmo: vou me lascar durante três ou quatro anos e serei doutora para sempre. Quase todo esforço costuma ser recompensado dessa forma. Mas quando o assunto é boa forma, reparem na injustiça, a sina nunca acaba. Podemos decidir que este será o ano em que ficaremos magros e belos: vamos cortar carboidratos, eliminar o álcool e as frituras, comer mais fibra, aumentar a atividade física, fazer musculação. Depois de tanto sacrifício podemos chegar ao final do ano esbeltos e invejáveis. E então? Receberemos um diploma oficial de magros? Um título definitivo de gostosões? Uma credencial dizendo "indivíduo em boa forma" sem prazo de validade? Nada disso. Não receberemos nada e, se vacilarmos, em uma semana já estamos roliços outra vez. É só piscar e a calça já aperta de novo.

Gente, isso não é de Deus. Tem alguma coisa errada na regulamentação desse instituto. E o direito adquirido, como fica?! Isso aí é piada de mau gosto. "Duas castanhas-do-pará no lanche; filé de frango com salada no almoço, gelatina sem açúcar à tarde, sopa SEM BATATA no jantar." Não, gente, não tenho estrutura. Por uns meses eu aguentaria, desde que viesse com o título eterno de magreza. Mas não! Essa dieta é pra sempre?! Ad aeternum? Acompanhada de corrida na esteira quase todo dia? Tô fora.

Comprometo-me a fazer exercício duas vezes por semana. Ter uma alimentação balanceada. Tentar não beber álcool durante a semana. Colocar os chocolatinhos num armário bem alto. Comprar pão integral, arroz integral, macarrão integral (na hora do leite, esses nutricionistas malandros mudam de ideia). Checar colesterol, triglicérides e glicemia anualmente. Não mais do que isso. Admiro os comprometidos que decidem ter a vida regrada assim para sempre. Mas sabe? Queijo, né, gente? Pizza. Vinho, cerveja, chocolate quente. Hambúrguer. Lasanha. Azeite. Mortadela. Doce de leite. Polenta frita. É um preço muito alto por uma calça dois números menor. A não ser, como disse, que, depois de um ano de esforço, a calça coubesse para sempre. Aí eu era capaz de topar. Caso contrário, não compactuarei com essa injustiça.

Se eu fosse um homem, branco, hétero, magro, europeu e católico

À S VEZES – MUITAS VEZES – me flagro pensando que a vida seria mais fácil se eu tivesse nascido homem.

Não que eu ache que a vida de um homem seja fácil. Mas, se eu fosse homem, eu sentiria, simplesmente, que devo menos ao mundo.

Haveria menos fiscalização sobre meu corpo, sobre minha vida afetiva, sobre minha roupa, sobre meus planos. Haveria, sim, mas haveria menos.

E eu poderia andar à noite com menos medo, poderia ser avaliada no trabalho somente pela minha competência, poderia me sentir um pouco mais dona de mim mesma.

Mas, para a vida ser mais fácil, não bastaria só ser homem. Eu teria que ser um homem hétero.

Porque se eu fosse um homem que amasse outro homem, talvez o medo de andar na rua à noite persistisse. E o medo de não ser aceito numa entrevista de trabalho também.

E se eu fosse um homem que amasse outro homem, talvez eu tivesse que continuar fingindo, muitas vezes, ser o que não sou, por saber que o que sou não é o que acham que eu deveria ser.

Talvez a vida fosse mais fácil se eu fosse um homem hétero. Mas ainda assim não bastaria.

Eu precisaria ser magro. Porque se eu fosse um homem obeso, a vida não seria exatamente tranquila.

Eu continuaria sendo julgado pelo meu corpo, como sou enquanto mulher. Fiscalizariam meu prato. Condenariam meu comportamento, certos de que minha condição física, além de condenável, era uma simples opção.

Homem. Heterossexual. Magro. Sim. A vida já seria mais fácil. Mas não bastaria.

De que adiantaria tudo isso, se, ao chegar aos EUA, eu fosse latino-americano? Ou, ao chegar na Europa, eu fosse africano? Os olhares dos policiais na imigração, "Pode ser traficante", "Vai tentar ficar de forma ilegal", "Deve ter vindo trabalhar sem autorização", seria como o olhar de "Será que ela vem para se prostituir?".

Não. Não funciona.

A vida seria mais fácil se eu fosse um homem, heterossexual, magro, europeu. Mas não de qualquer parte da Europa. A Alemanha não me abraçaria se eu fosse romeno. A Inglaterra não me desejaria se eu fosse bósnio. A França não me admiraria se eu fosse português.

Pois bem. Homem, hétero, magro e um "bom" europeu.

Mas não bastaria.

De que me adiantaria tudo isso, ainda que nascido na França, mas tendo pais negros, pele negra, origens negras? Me aceitariam em qualquer emprego? Me olhariam tranquilamente enquanto eu circulasse no comércio? Me indicariam ao Oscar? Não, minha vida não seria fácil.

Seria preciso ser homem. Ser hétero. Ser magro. Ser um "bom" europeu. Ser branco. Talvez assim a vida caminhasse melhor.

Mas não se eu usasse um turbante. Ou um quipá. Nem se eu carregasse minha estrela de Davi no pescoço. Seria preciso, além de tudo, ser cristão e, de preferência, católico.

Homem. Heterossexual. Magro. Europeu. Branco. Católico.

Talvez. Talvez assim a minha vida começasse do zero, e não do negativo. Talvez assim eu pudesse lidar só com os problemas da vida – doença, falta de grana, desamores, desemprego, mortes na família. Talvez assim eu tivesse só as preocupações que a gente deveria ter na vida, sem esses "pequenos" bônus de medo e de constrangimento.

Eu não nasci homem. Nasci mulher, latino-americana. Poderia

ter nascido negra. Poderia me descobrir homossexual. Posso me tornar obesa. Nenhuma vida é fácil. Sobretudo, nenhuma vida é fácil num mundo que criou tantas regras de merda. É privilégio ser homem? Ser hétero? Ser magro? Ser europeu? Ser branco? Ser cristão? Alguém é culpado por ser ou não ser? Claro que não. Mas é preciso – talvez indispensável – não perder de vista a complexidade da vida daqueles que nos cercam. É preciso parar de insistir em olhar de forma tão ferrenha somente para os nossos problemas e ter um mínimo de empatia. E perceber que, quanto menos entraves há na nossa vida, maior é o nosso dever moral de fazer algo para derrubar os obstáculos que impedem os outros de viver normalmente. É preciso, em alguma medida, fazer o mínimo que nos cabe para ajudar a desconstruir esse lixo de estrutura na qual estamos inseridos.

P.S.: Em 2016, tive a deliciosa chance de fazer um TED Talk cujo título é "A escalada dos vulneráveis", um pouco inspirado nesse texto. Está no YouTube, para quando tiverem um tempinho.

Vanessa's Hair

— **V**ANESSA'S HAIR, BOA TARDE. (lê-se "boa tarrrrdzeemmm")
– Boa tarde, por favor, eu gostaria de marcar mão, depilação e uma escova na sexta-feira.

– Quem tá falando?

– Flávia.

– Pra que horas? (ouve-se um mascar de chiclete)

– Pode ser às 17h?

– Com quais profissionais?

– Hum. A Jose tá livre pra fazer minha mão?

– Não. A Jose só tem horário às 15h na sexta.

– Então não dá. Quem tem horário?

– Ahnn... Deixa eu ver... A Karen, a Rosalva, a Val, a Nice e a Joyce.

– Pode ser com a Val, então.

– Ok. E a depilação, tem preferência de profissional? ("dziprofissionauuuuu?")

– Pode ser a Maria?

– Seria para depilar quais áreas?

– Virilha e meia perna.

– Um minutinho. ("minutzzzinho")

(ouve-se: Ô, MARIAAAAAA, VOCÊ CONSEGUE FAZER UMA VIRI-
LHA E MEIA PERNA EM MEIA HORA? É UMA FLÁVIA!)

– Oi, você é a Flávia loira ou a Flávia morena?

– Ahn. Sou a loira.

(ouve-se: É A LOOOOOIRA. ENTÃO DÁ? TÁ BOM.)

– Sim, marcado com a Maria na sequência. E a escova?

– Tanto faz.

– Tenho horário com a Simone, o Walter e o Gustavinho.

– Gustavinho?

– Sim, começou na semana passada. Filho da Vanessa.

– Filho da Vanessa? Que idade ele tem?

– Dezoito. ("dzezoooito")

– E a Vanessa?

– Vinte e nove.

– Como assim? Ela teve filho com 11 anos?

(pausa)

– Verdade. ("verdadze") Nunca pensei nisso.

(ouve-se: ô, VANEEEESSAA, QUANTOS ANOS VOCÊ TEM? HEIN? AHHHHHH, ENTENDI.)

– Ela tem 39. Tá inteirona.

– Tá mesmo. Marca com o Gustavinho então.

– Hum... (voz baixa) eu não aconselho.

– Não? Ele não é bom?

– Sabe como é, né, essa coisa de despotismo...

– Despotismo?

– Sim, amor, quando coloca o povo da família pra trabalhar.

– Ah. Nepotismo?

– Vem cá, querida, você ligou pra agendar ("azendar") horário ou pra corrigir português?

– Tá certo. Marca com o Walter.

– Walter tá de folga sexta.

– Mas você acabou de dizer que...

– Ele acabou de berrar aqui que vai tirar a sexta. E acabaram de marcar ("dzimarcar") na outra linha uma cliente pra Simone. Só sobrou o Gustavinho.

– Bom. Que jeito? Marca com o Gustavinho.

– (bem alto) Pronto amor, marcado, com a Val, a Maria e o Gustavinho na sexta. VOCÊ VAI VER QUE ELE É ÓTIMO. Obrigada por ligar, amor. Até sexta.

A *ditadura do elogio*

A CORDO CEDO, TOMO CAFÉ DA MANHÃ, coloco um legging preto, uma camiseta e saio a pé. Opa, esqueci uma coisa. O casaco que vai na cintura. Não porque eu ache que vou sentir frio na aula de zumba, mas porque "legging", "mulher" e "andar na rua" formam uma combinação que tende a trazer aborrecimentos.

E não precisa ser legging. Quem de nós, ao se vestir, usa aquilo que realmente tem vontade? O minishort num dia de calor, a calça branca quando dá vontade, a blusa decotada quando estamos bronzeadas? Somos, efetivamente, donas do nosso corpo e do nosso guarda-roupa? Ou há uma censura, da porta para fora, que nos faz pensar vinte vezes antes de escolher?

E sabemos que não é preciso ser nenhuma atriz global para sofrer com esses incômodos. Qualquer uma de nós, reles mortais com todas as suas imperfeições, lida com esse tormento diário, ao qual vamos tristemente tentando nos habituar.

Quantas de nós já atravessaram a rua para fugir de um grupo de homens, tentando evitar seus gentis "elogios"?

E quando coloco a palavra elogio entre aspas, não estou me referindo só àqueles comentários grosseiros da família do "Ô, delícia" e do "Ô, lá em casa". Coloco também aqueles que supostamente não são agressivos como o "Linda você, hein, gata?" e os beijos estalados lançados pela janela dos carros.

Todos eles pertencem à mesma categoria: aquela dos elogios que não queremos ouvir.

Junto a eles, e tão indigestos quanto, entram os olhares insistentes.

Aqueles que não vêm acompanhados de nenhum ruído, mas que conseguem nos constranger, nos acuar, nos ofender.

Alguém consegue me dizer que isso não é uma forma de violência?

E acontece em todo canto. No trânsito, quando estamos cantarolando animadas até perceber que estamos sendo ostensivamente observadas. No restaurante, por aquele cara da outra mesa que nos faz ter vontade de mudar de lugar. Na praia. No metrô. Na fila do banco. No balcão da farmácia.

Minha mãe diz que um lado bom de envelhecer é ir se livrando de tudo isso. Precisaremos esperar por isso? E será que nossas filhas ou netas passarão pelas mesmas coisas? Será que, aos 12 anos, elas já vão se culpar por um vestido de verão num dia de 30 graus porque alguém gritou "Gostosa!!" do outro lado da rua? Será que elas também vão precisar do moletom desnecessário na cintura?

Prezado Cara Que Não Conhecemos,

(Não nos importa quem é você: se está de terno ou de capacete, se trabalha no escritório ou no lava-rápido, se está de Kombi ou de Corolla.)

Não nos elogie. Não nos olhe desse jeito. Guarde suas palavras para sua esposa, sua mãe, sua tia. Alguém que as queira.

Mas nos dê de presente o direito de andar pela rua prestando mais atenção nas árvores que estão floridas do que ansiando pela possibilidade de você nos aborrecer.

Elogio goela abaixo não é elogio, moço. É grosseria. E obrigada por oferecer, mas, sinceramente, dispensamos.

Pequeno dicionário do machismo (parte 2)

J de Já é uma mocinha

"Já é uma mocinha" é a forma sutil que se encontrou para dizer que uma menina já está crescida o suficiente para ser julgada por ser mulher. Por ser uma mocinha ela já deve preocupar-se com a roupa, com a calcinha à mostra, com o cuidado com a casa. Ninguém nunca dirá "Você já é uma mocinha, pode optar entre ser astronauta ou presidenta". Dizer que ela já é uma mocinha é mostrar para uma menina a posição que o machismo espera que ela ocupe na sociedade, nem mais, nem menos.

L de Licença-maternidade

A licença-maternidade é machista? É. Se não fosse, ela se chamaria licença-natalidade. Presume-se que seja a mãe quem abra mão de meses de trabalho em prol do cuidado com a criança. Sim, há, de fato, a recuperação do parto e a amamentação. Mas não seria sensato permitir que a família gerisse esse período da forma que lhe fosse mais conveniente, através do diálogo e da liberdade? O machismo detesta a paternidade ativa e detesta a mulher que valoriza a própria carreira. Licença-maternidade de 120 dias, licença-paternidade de uma semana. Para o machismo assim está ótimo.

M de Mulher de amigo meu pra mim é homem

Essa maravilhosa frase ainda nos visita com certa frequência, tentando simbolizar a conduta respeitosa de um homem como trunfo. A mulher de um amigo, por essa lógica, merece respeito não por ser ela mesma, mas por "pertencer" a outro homem. Para piorar, a única forma de não desejá-la, assediá-la ou ofendê-la é enxergá-la como... homem! Porque ser mulher nunca basta. Para o machismo, nunca basta.

N de Não posso nem fazer uma piada
O machismo considera-se muitíssimo bem-humorado. Faz brincadeiras, piadas e graças de outros tipos que seguem uma única regra: alguém deve pagar pelo riso. Às vezes são as mulheres, outras vezes são os gays, outras vezes são as loiras e frequentemente são as mulheres tidas como feias ou como gordas. O machismo jura de pé junto que é engraçado diminuir alguém. E ai de quem se ofender. Eu, hein, não posso nem fazer uma piada.

O de Onde você vai amamentar?!
Essa é uma boa pergunta. Porque o machismo considera que, muito embora um homem possa embriagar-se tranquilamente numa mesa de boteco na calçada, um bebê não pode alimentar-se em qualquer lugar, uma vez que a sua alimentação envolve peitos. Peitos! Que coisa chocante! Nas propagandas de cerveja eles são bem-vindos, na alimentação de uma criança eles são tabu. O machismo tem certeza de que a amamentação só deve acontecer entre quatro paredes, com a porta fechada e com um paninho inútil cobrindo esse ato tão traumático. Amamentar em público é um excesso desnecessário e deselegante, diz o machismo cheio dos seus bons costumes.

P de Pronomes possessivos
Mulher MINHA não sai com essa roupa. Filho MEU não usa cor--de-rosa. Na MINHA televisão ninguém vai ver beijo gay. Segurem SUAS cabras que MEU bode está solto. Ninguém faz essa sujeira no MEU carro! Filha MINHA não chega a essa hora em casa. O que você está comprando com o MEU dinheiro? Na MINHA casa mando eu!

Q de Quem vai com você?
Para o machismo, mulher é um ser que sempre necessita de complemento, por isso a pergunta recorrente é "Quem vai com você?". Com os filhos é uma constante: o filho diz que vai jogar bola e sai, a filha diz que vai tomar um sorvete e ouve "Quem vai com você?". E assim essa lógica segue vida afora. Quando duas mulheres adultas foram mortas numa viagem na América do Sul, muitas notícias afirmaram que as mulheres viajavam "sozinhas". Ou seja, a companhia de outra mulher nunca basta. É dar sorte para o azar. O machismo tem certeza de que, se você for mulher, é sempre bom que alguém vá com você; caso contrário, a culpa será sua.

Não é fácil ser uma mulher que gosta de futebol

N ão tem jeito: se você for mulher e disser que gosta de futebol, provavelmente pensarão: "Bonitinha. Deve saber quem é o Neymar, o Ronaldo e o Rogério Ceni. Talvez já tenha ouvido falar no Valdívia. Deve saber a diferença entre pênalti e falta. Talvez saiba que o Boca Juniors é argentino. E pode até ter ido uma ou duas vezes ao estádio, acompanhando o pai ou namorado, claro."

Pronto. Isso é o máximo de credibilidade que vão te dar.

Mas a gente não se deixa intimidar. Finge que não sabe que vai chocar a audiência e comenta na boa: "Até que o Criciúma segurou bem aquele 1 a 0 no primeiro tempo, mas não tem jeito, o time é fraco mesmo, tava na cara que o Cruzeiro ia virar até o final. E 3 a 1 acabou até saindo barato."

É nessas horas que as pessoas olham para a gente completamente pasmas. Como se tivéssemos discorrido de forma aleatória sobre física quântica ou epistemologia. Qualquer coisa que a gente diga que não seja do tipo "Ai, mas o Pato é mesmo uma gracinha" vai chocar quem ouve.

Experimente dizer que não quer ir ao cinema na sessão de domingo às 17h porque tem jogo.

Experimente falar, numa quinta-feira, que vai ao estádio só com uma amiga, como eu fiz diversas vezes.

Experimente deixar a TV no VT de Flamengo x Chapecoense enquanto pinta a unha do pé, e alguém entrar no seu quarto.

Experimente deixar alguém entrar no seu carro no fim da tarde e te flagrar ouvindo a segunda edição de *Papo de Craque*.

Experimente, ao ver um gol bonito, brincar que esse aí devia ser lance Lukscolor.

Experimente mencionar, com alguma naturalidade, nomes como Dínamo de Kiev, Borussia Dortmund ou Gamba Osaka.

Experimente mencionar um jogo qualquer da Champions que aconteceu há uns três anos.

Experimente dizer que você ainda não se conforma que o Barcelona tenha comprado o Douglas por 4 milhões de euros.

Enfim. Experimente dizer o que qualquer Zé Mané pode dizer numa roda de amigos, mas, se você for moça, só pode ser armação, decoreba ou golpe de sorte. Ninguém vai se conformar que você saiba quem está na final da Copa do Brasil, nas semifinais da Sul-Americana e nas pontas da tabela do Brasileirão.

Ninguém está pronto para te ouvir falar de técnicos que superem o circuito Felipão-Dunga-Muricy-Mano Menezes. E nem precisa ousar muito. É só mencionar Ney Franco, Oswaldo de Oliveira, Cuca, Vagner Mancini, Abel Braga. Pronto, já é o caos, você é um alienígena.

E, para o senso comum, você tem direito a saber um – APENAS UM, e olhe lá – time por país estrangeiro. Basicamente: Barcelona, Benfica, PSG, Milan, Manchester (escolha um dos dois), Bayern de Munique e, como já mencionei, Boca Juniors.

Getafe? Rio Ave? Monaco? Fiorentina? Newcastle? Schalke 04? Estudiantes? Nananinanão. (E nem pense em ir além desse rol de países. Cerro Porteño, Colo-Colo, Ajax, Olympiakos, Once Caldas, Pachuca. Neeeeeem pensar.)

E não esqueça que todos esperam que você só conheça jogadores de futebol que foram da seleção brasileira ou que tenham namorado alguma famosa. Basicamente, você deve evitar nomes como: Fernando Prass, Léo Moura, Réver, Guiñazú, Nei Paraíba, Keirrison, Edson Silva, Edu Dracena, Auro, Cléber Santana, Leandro Amaro, Negueba, Barcos, Aranha, Lincoln, Durval, Ferrugem.

Mas quando você já tiver comprovado saber o elenco do seu time de trás para a frente, os campeões das últimas três Libertadores, o nome do estádio do Guarani (esse é fofo e toda mulher teeeem que saber) e o currículo básico do Guardiola, SEMPRE vai ter um infeliz para dizer "Ah, mas então explica o que é um impedimento!".

Cara.

Isso é mais agressivo do que nos perguntar se sabemos se rímel é para passar nos cílios ou na sola do pé.

Sugiro a todas as mulheres que ouçam essa pergunta que demonstrem fisicamente como acontece um impedimento para esse senhor, de preferência na beira da varanda ou da plataforma do metrô, sendo você um zagueiro e ele o jogador impedido. Pode ser?

E, claaaaaro, essas mesmas pessoas dirão "Essa mulher deve ter pesquisado horrores para escrever esse texto". Não vou negar: abri o Google duas vezes. Uma para saber se Oswaldo de Oliveira era com W ou com V, outra para saber se o Bayern de Munique era Bayer ou Bayern.

Enfim. A mulher que gosta – e entende – de futebol sofre. Provavelmente a que entende de carros também. Assim como o homem que cozinha ou entende de moda. Tá na hora de tudo isso mudar, né?

Mulheres não são inimigas

É ASSIM DESDE QUE somos crianças: você é mais bonita que a Dudinha. E mais esperta do que a Manu. A Lelê não faz contas tão bem quanto você, querida. E seu sapato é mais bonito que o da Maria. Enquanto isso os meninos estão em paz, correndo juntos, dando risada por aí.

Somos ensinadas a competir. A nos incomodar com a presença de novas garotas. A procurar defeitos nelas desde o momento em que aparecem na porta. Somos incentivadas a excluir mulheres, seja porque elas supostamente nos ameaçam ou porque supostamente não são "tão boas quanto nós".

Essa rivalidade, tão boa e tão interessante para o machismo e para toda a imensa parcela do mundo que tem medo de mulheres unidas, é potencializada pelo beijinho prazinimiga, pelo beijinho pras falsianes e pelo beijinho pras recalcadas. Não estou dizendo que não haja inimizade, falsidade e recalque sobrando por aí. Mas se nossa língua machista sempre torna o sujeito masculino, ainda que no caso haja mil mulheres e um único homem, por que deixar as inimigas, falsianes e recalcadas no feminino? Não há homens traiçoeiros soltos por aí?

Quando vemos Melania Trump plagiar o discurso de Michelle Obama, devemos nos indignar. Devemos achar tão absurdo e ridículo quanto é. Isso não quer dizer que devemos achar que as duas são inimigas e que deveriam entrar num ringue para puxar cabelos enquanto berram xingamentos estapafúrdios. Trump e Obama não fariam isso. Por que as mulheres haveriam de fazer?

Um plágio entre mulheres é tão grave e sério quanto um plágio entre homens. E só.

A inimizade entre mulheres dá ibope, manchete e dinheiro. Parece ser divertida, cômica e sanguínea. Ver uma mulher cair do salto alto parece ter graça, enquanto ver um homem pisar no cadarço não. Parece que ela merece e que ele deu azar. Mas isso tudo é uma grande cilada. Mulheres deveriam ser as primeiras a não julgar a roupa de outra mulher. A promoção de outra mulher. Os medos de outra mulher. Os defeitos de outra mulher. Porque, como dizem por aí, com a mesma severidade com a qual julgamos, seremos um dia condenados. E a vida de uma mulher é ser condenada diariamente: por estar gorda, por ser bonita demais, por chegar muito tarde, por não ser mãe, por trabalhar demais, por não casar. Precisamos colaborar com essa dinâmica errada?

Mário Quintana dizia que só acreditava na amizade entre duas mulheres se uma delas fosse muito velha ou muito feia. Ele apenas verbaliza a competição que nos imputam desde o princípio. Mas já é hora de virar o jogo. Amigas, as mulheres nem sempre serão. Mas inimigas presumidas, isso elas nunca haverão de ser.

Porque mulheres não são inimigas. Mulheres são as que passam papel higiênico por cima da porta quando o papel da sua cabine acabou. Mulheres são as que podem te oferecer um absorvente numa emergência ou um peito para seu filho. São as que entendem suas dores. São aquelas que deveriam ser as primeiras a estender a mão e nunca as primeiras a apontar o dedo.

Você até pode ser gay, desde que seja invisível

EXPERIMENTE ABRIR O GOOGLE, escrever "gay" e dar uma busca em notícias. A sensação é a de se fazer uma viagem no tempo. Parece mesmo que somos remetidos a resultados da Idade Média, é realmente inacreditável.

Alguns exemplos reais de notícias: o prefeito de uma cidade em Rondônia propôs que todas as páginas de livros didáticos que mencionam famílias homoafetivas fossem retiradas dos mesmos; um casal gay recebeu uma carta num condomínio do Rio de Janeiro dizendo que gente "de cor e afeminada" não estava à altura de morar naquele local; e, com dor e destaque, o caso da mãe que matou o filho de 17 anos a facadas e depois incinerou o corpo, por não aceitar que ele fosse gay.

É interessante notar que os três casos têm um traço comum muito bem delineado: a necessidade de tornar a homoafetividade invisível. Num caso arrancam-se as páginas, no outro tenta-se retirar o casal do condomínio, e no terceiro elimina-se alguém pelo simples fato de ser gay.

Ou seja, não se trataria apenas de evitar que dois homens (ou duas mulheres) se envolvessem ou se amassem, mas de silenciar suas vozes de forma definitiva, seja através do seu desaparecimento no material de ensino, da sua exclusão da vida em sociedade ou da sua morte. O objetivo é exatamente o mesmo.

Equiparam-se a essas condutas pedir para um gay que ele não se mostre gay no ambiente de trabalho ou achar que casais homoafetivos não devam se abraçar ou se beijar em público. É tudo essencialmente a mesma coisa: o desejo de torná-los invisíveis. Será que é realmente diferente dizer "Vocês não podem existir" e "Vocês só podem existir onde ninguém veja"?

A questão é: será que a única forma de subtrair a vida de alguém é através da morte? Ou será que cada uma dessas pessoas que tenta confinar a vida de um gay aos submundos da invisibilidade também não tem as mãos sujas de um sangue igualmente invisível?

Porque sim, eles sangram. Sangram a cada vez que querem dar um beijo e não podem, a cada vez que se sabem observados por causa de um abraço, a cada vez que precisam disfarçar as mãos dadas, a cada vez que precisam conter suas reações para não serem condenados por alguém que sequer tem o direito de julgá-los.

São dois lados muito claros para se definir onde se quer jogar: o lado do amor e o lado do ódio, simples assim. O lado das mãos limpas e o lado das mãos sujas. O lado sem sangue e o lado com sangue, visível ou invisível. É uma questão de posicionamento.

E é uma questão de se perguntar: quantas frações de vida você já suprimiu com seu discurso e suas mãos supostamente tão limpas?

Pequeno dicionário do machismo (parte 3)

R *de Roberta Close*
O machismo gosta muito de certas ignorâncias. Gosta de achar que gay, transexual, transgênero, travesti, drag queen é tudo uma coisa só, que eles denominam "pouca vergonha". Roberta Close, Thammy Gretchen, Lea T, Pabllo Vittar, Vera Verão, não importa. O machismo não quer saber qual a diferença, qual a situação, muito menos como lidar. Veado e traveco, simples assim. Tudo a mesma merda, segundo esses eruditos.

S de Seu marido é rico, né?
O machismo presume que toda mulher em boa situação financeira ou tem um pai rico, ou tem um marido rico. A hipótese de que ela (ou a mãe dela) tenham construído um patrimônio é praticamente nula. Soma-se a isso uma série de expressões como "golpe do baú", "golpe da barriga" e "maria-chuteira" que surgem para enraizar ainda mais a ideia de que a mulher, além de incompetente para ganhar dinheiro, é uma grande oportunista. Claro, né?

T de Teste do sofá
Teste do sofá é apenas mais uma das expressões que o machismo encontrou para encobrir situações de assédio sexual ou de estupro. Test drive também aparece às vezes. Tudo em tom de brincadeira, como se não houvesse constrangimento. Ou pior: sabendo que há constrangimento e definindo que a vontade da mulher simplesmente não importa.

U de UFC
Andando de mãos dadas com o machista futebolístico está o machista das lutas. O primeiro não acredita que uma mulher saiba o que é impedimento, o segundo acha que mulher e luta não combinam. Assistir ao UFC? É claro que elas não querem. Lutar? Muito menos. Vai fazer balé, jogar vôlei, natação no máximo. Luta é coisa de homem. Mal sabem eles o tanto que a gente sabe sobre lutar.

V de Vaca, Vadia, Vagabunda
Qualquer um desses xingamentos nos remete diretamente à vida sexual de uma mulher. Todos eles acusam uma mulher de transar muito. O machismo adora homens que transam muito. Quanto mais, melhor; preferencialmente com parceiras diferentes. O machismo não suporta mulheres que transam. Nem muito, nem pouco, nem com o mesmo parceiro, nem com vários. Mulher boa não transa. No máximo satisfaz a vontade do marido. Se não for assim é vaca, vadia, vagabunda.

Z de Zona
O machismo adora a prostituição. Mesmo. Acha indispensável a existência de prostitutas, de prostíbulos, casas de massagem e figuras como Oscar Maroni. A única coisa na qual o machismo não pode ouvir falar é da regulamentação da prostituição como profissão. Imoral! Nojento! Coisa dessa gente de esquerda! O machismo adora as putas. Desde que elas se mantenham inseguras, miseráveis e vulneráveis. Senão é indecente e inflaciona o mercado.

O caminho para a distância

A vida do poeta tem um ritmo diferente
Ela o conduz errante pelos caminhos, pisando a terra e olhando o céu
Preso, eternamente preso pelos extremos intangíveis.

"O poeta", in: O caminho para a distância
– Vinicius de Moraes

S E, VIDA AFORA, eu escrever dezenas, centenas de poesias, não sei se um dia merecerei o título de poetisa. Nem sei se um dia merecerei o título de escritora. Mas sei que essa brincadeira de escrever é uma estrada tão bela quanto dolorida. Pisar a terra e olhar o céu. Caminhar sem rumo. Desviar o percurso. Sentir como criança, chorar como adulto.

É preciso ir muito além de si mesmo. Venho tentando, não sei se com ou sem sucesso. Venho tentando.

Vinicius, por meio de sua antologia da capa verde-água, me acompanha há tempos, frequentando malas, voos e endereços diversos, como uma espécie de bíblia. Essa mania de embarques e desembarques acaba sendo uma fonte rica de ideias e, acima de tudo, de angústias. Seja qual for a estrada, é bom estar em boa companhia.

O alto preço de viver longe de casa

Voar: a eterna inveja e frustração que o homem carrega no peito a cada vez que vê um pássaro no céu. Aprendemos a fazer um milhão de coisas, mas voar... Voar a vida não deixou. Talvez por saber que nós, humanos, aprendemos a pertencer demais aos lugares e às pessoas. E que, nesse caso, poder voar nos causaria crises difíceis de suportar, entre a tentação de ir e a necessidade de ficar.

Muito bem. Aí o homem foi lá e criou a roda. A Kombi. O patinete. A Harley. O *Boeing 737*. E a gente descobriu que, mesmo sem asas, poderia voar. Mas a grande complicação foi quando a gente percebeu que poderia ir sem data para voltar.

E assim começaram a surgir os corajosos que deixaram suas cidades de fome e miséria para tentar alimentar a família nas capitais, cheias de oportunidades e monstros. Os corajosos que deixaram o aconchego do lar para estudar e sonhar com o futuro incrível e hipotético que os espera. Os corajosos que deixaram cidades amadas para viver oportunidades que não aparecem duas vezes. Os corajosos que deixaram, enfim, a vida que tinham nas mãos, para voar para vidas que decidiram encarar de peito aberto.

A vida de quem inventa de voar é paradoxal, todo dia. É o peito eternamente dividido. É chorar porque queria estar lá, sem deixar de querer estar aqui. É ver o céu e o inferno na partida, o pesadelo e o sonho na permanência. É se orgulhar da escolha que te ofereceu mil tesouros e se odiar pela mesma escolha que te subtraiu outras mil pedras preciosas.

E começamos a viver um roteiro clássico: deitar na cama, pensar no antigo/eterno lar, nos quilômetros de distância, nas pessoas amadas, no que eles estão fazendo sem você, nos risos que você não riu, nos perrengues que aconteceram sem você poder ajudar. É tentar, sem sucesso, conter um chorinho de canto e suspirar, sabendo que é o único responsável pela própria escolha. No dia seguinte, ao acordar, já está tudo bem, a vida escolhida volta a fazer sentido. Mas você sabe que outras noites como essa virão.

Mas será que a gente aprende? A ficar doente sem colo, a sentir o cheiro da comida com os olhos, a transformar apartamentos vazios em lares, colegas em amigos, dores em resistência, saudades cortantes em faltas corriqueiras?

Será que a gente aprende? A ser filho de longe, a amar via Skype, a ver crianças crescerem por vídeos, a fingir que a mesa do bar pode ser substituída pelo grupo do WhatsApp, a ser amigo através de caracteres e não de abraços, a rir alto com HAHAHAHA, a engolir o choro e tocar em frente?

Será que a vida será sempre essa sina em qualquer dos lados em que a gente esteja? Será que estaremos aqui nos perguntando se deveríamos estar lá e vice-versa? Será teste, será opção, será coragem ou será carma?

Será que um dia saberemos, afinal, se estamos no lugar certo? Será que há, enfim, algum lugar certo para viver essa vida que é um turbilhão de incertezas que a gente insiste em fingir que controla?

Eu sei que não é fácil. E admiro quem encarou e encara tudo isso todo dia.

Quem deixou Vitória da Conquista, São José do Rio Preto, Floripa, Juiz de Fora, Recife, Sorocaba, Cuiabá ou Paris para construir uma vida em São Paulo. Quem deixou São Paulo pra ir para o Rio, para Brasília, Dublin, Nova York, Aix-en-Provence, Brisbane, Lisboa. Quem deixou a Bolívia, a Colômbia ou o Haiti para tentar viver no Brasil. Quem trocou Portugal pela Itália, a Itália pela França, a França pelos Emirados. Quem deixou o Senegal ou o Marrocos para tentar ser feliz na França. Quem deixou Angola, Moçambique ou

Cabo Verde para viver em Portugal. Para quem tenta, para quem peita, para quem vai.

O preço é alto. A gente se questiona, a gente se culpa, a gente se angustia. Mas o destino, a vida e o peito às vezes pedem que a gente embarque. Alguns não vão. Mas nós, que fomos, viemos e iremos, não estamos livres do medo e de tantas fraquezas. Mas estamos para sempre livres do medo de nunca termos tentado. *Keep walking.*

P.S.: Texto escrito no mesmo sótão em Lisboa, dessa vez numa noite de sábado na qual toda a minha família estava reunida em São Paulo comemorando alguma coisa enquanto eu me arrebentava de chorar do outro lado do oceano. Gastei cerca de 18 rolos de papel higiênico e duas garrafas de vinho para escrever este texto.

Bilinguismo luso-brasileiro (parte 1)

H ÁQUEM DIGA que é a mesma língua. Há quem chegue a Portugal esperando "Ora pois" e um pouquinho daquele sotaque fofo. Pobrezinhos. Mal sabem o que os espera. Depois de um ano e meio "a viver cá", sinto-me orgulhosamente bilíngue.

Na semana em que cheguei, ouvi que a minha mala encarnada era muito "gira". Não sabia se era para agradecer, para me ofender ou para xingar de volta. Depois, fui descobrir que a mala era a bolsa, encarnada era vermelha e "gira" era bonita. Já não dava tempo de agradecer à moça.

Pouco tempo depois, procurava um supermercado e pedi ajuda a uma senhora que me mandou ir para os "curraios". Não entendi, mas achei que mandar alguém para os "curraios" não era algo admissível, por uma simples razão de divisão de sílabas. Saí chocada, segui andando e encontrei o mercado, ao lado dos correios. Correios. "Curraios". Saquei.

Depois, foi a vez de um professor narrar um caso de um país que proibiu a venda de "maltadagas". Eu, quieta, pensei "Maltadaga. Deve ser uma adaga, arma branca, da ilha de Malta". Ele falou outra vez e eu entendi "Maltad'água". Pensei "Água da ilha de Malta?". Na terceira ouvi "Mota d'água". Ok. "Mota deve ser moto. Moto de água. Jet ski!! É jet ski!!" E pronto, o professor já tinha mudado de assunto e eu até hoje não sei nem onde nem por que o jet ski foi proibido.

Fui achando que já entendia melhor. Tinha aprendido a não pedir sorvete de creme, mas gelado de nata. E pedi, no restaurante, torta com uma bola de gelado de nata. O garçom disse "Bolinha?".

Eu sorri e respondi "Sim, uma bola de gelado de nata". Ele disse "Uma bola de bolinha?", e eu já pensei "Ai, Deus, começou". Ele insistiu "Não temos gelado d'nata. Temos chuculát, murang e bónilha. Pod'ser uma bola de bónilha?". Enfim. Bola de bolinha, bola de "bónilha", vamos levando.

Descobri que jogar na privada é deitar na sanita. Que pisar no freio é carregar nos travões. Que banheiro é casa de banho e salva-vidas é banheiro. Que dar a descarga é puxar o autoclismo. Que eu uso cuecas, por mais que eu use calcinhas. E que os homens também usam cuecas, por mais que eles não usem calcinhas.

Não satisfeita, inventei de namorar um lisboeta. Fomos dormir outro dia e ele disse "Q'rida, podes colocar o despertador para o Tim Maia?". Pausa. "Oi?" "O despertador. Colocas para Oi Tim Maia?" "Tim Maia?" "Sim, para Oi Tim Maia." E, então, eu percebi que já era bilíngue. Coloquei o despertador para 8h30 e apaguei a luz.

Favorzinho

COMEÇO EXPLICANDO QUE ERA PÁSCOA, época na qual somos tomados por um espírito fraterno. O fato era que o marido da prima de um amigo (reparem bem na proximidade) veio de Viseu a Lisboa para fazer uma entrega que não deu certo. E eu me solidarizei, dizendo que faria a entrega durante a semana.

Pois bem. Eram fertilizantes de solo para serem entregues no Instituto Superior de Agronomia, no bairro da Ajuda. Segunda-feira almocei uma maravilhosa omelete de nada, escolha favorita de pessoas que precisam entrar num vestido de noiva, e peguei o carro para fazer a entrega. Coisa simples, dez minutos para ir, dez para voltar.

Me perdi. Rodei, rodei. Encontrei a portaria. Era a portaria errada. Fui procurar a outra. Me perdi. Dez minutos já eram 25. Cheguei. O segurança explicou tranquilamente: era só ir reto até o edifício amarelo, contorná-lo, entrar na segunda à direita, subir até encontrar uma rua enviesada, virar, seguir adiante, passar pelos edifícios brancos, virar à direita nas vinhas (sim, vinhas, de uva), seguir, encontrar uma rotatória, virar à esquerda, subir e pronto, era lá. Sorri com cara de imbecil, segui com o carro e me perdi na terceira coordenada.

Acenei para um carro de uma empresa de obras e pedi ajuda. O rapaz, muito solícito, disse para segui-lo. Andamos uns dez minutos, até que chegamos ao laboratório. O rapaz desceu do carro e me deu um cartão escrito "trabalhos verticais e impermeabilizações". Eu agradeci e disse que se precisasse de algo o procuraria. Ele sorriu e disse "Era mais para tomarmos um café qualquer dia", piscando o olho. Voltei para minha cara de imbecil e respondi: "Ah. Tá. Brigada."

Estacionei e peguei a caixa, que era bem mais pesada do que eu imaginava. Deparei com uma escadaria sem fim. Respirei e subi. Ao chegar lá em cima, quase falecida, li o cartaz "usar a entrada de baixo". Coisas de Portugal. Comecei a descer. Quando estava no meio da escada uma senhora me chamou lá em cima, dizendo que eu podia entrar por ali. Subi de novo. Agradeci e disse que tinha uma entrega de fertilizantes. Ela disse "Ah, mas isso é lá embaixo". Viu meus olhos tristes e disse "Mas pode vir cá por dentro".

Comecei a descer a escada com a caixa nos braços e percebi que minhas calças estavam caindo. Foi a maior alegria do dia, sinal de que a omelete de nada tem servido para alguma coisa além de me entristecer. Na sala, fui recebida por uma simpática senhora quadrada – mesma medida de altura e largura – com um avental branco. Ela me perguntou "São substratos vegetais?", respondi que não sabia de nada, que nem tinha aberto a caixa, que fazia um favor para um amigo de Viseu. Ela foi chamar a responsável. Fiquei ouvindo o rádio velho berrando BUT I SEE YOUR TRUUUE COOOLORS SHINING THROUGH. A responsável chegou e me perguntou se os formulários estavam preenchidos. Eu sorri e repeti que não sabia de nada.

Entrou um homem. Me perguntou – TRUE COLORS, TRUE COLORS – se também havia amostra de terra na caixa. Fiquei com vontade de rir. Disse que não sabia. Chegou a quarta senhora – THAT'S WHY I LOOOVE YOU – me perguntando se era para análise de metais pesados. Não aguentei. Caí numa crise de riso, pedi desculpas – TRUE COLORS –, tentei explicar de novo, comecei a lacrimejar pelo canto do olho, "É só um favor... pra um amigo" e ria, ria.

Só conseguia pensar no ridículo daquela odisseia que se instaurou na tentativa de fazer um favorzinho. Era surreal. Seguiram-se mais 15 minutos de debates. Que raio eu fazia ali? Tanto trabalho em casa. No fim, me comunicaram que não analisavam aqueles tipos de substratos. Suspirei. Deixei a caixa, o telefone do homem e fui embora. Entrei no carro e comecei a rir de novo. Duas horas para nada. Ou não: às vezes o fracasso vira texto.

O dia em que resolvi invadir a casa de García Márquez

SEMPRE ME PERGUNTEI o que se passava na cabeça daquelas pessoas que perseguem celebridades. Aquelas que, num dado momento, recebem intimações dizendo que precisam manter uma distância mínima de 500m do famoso e também da casa dele. Imaginava pessoas solitárias, vivendo em uma casa cheia de fotos do indivíduo-alvo nas paredes, para as quais olhavam com olhos perturbados.

Mudando de assunto, passo a narrar minha paixão pela obra de García Márquez. Tinha 16 anos quando minha tia me emprestou seu exemplar de *Do amor e outros demônios*. Pouco tempo depois migrei para *O amor nos tempos do cólera*. Aos 19, presenteei um namorado com *Crônica de uma morte anunciada*, que roubei na sequência para ler. Devorei *Doze contos peregrinos* em um verão em Caxambu e *A incrível e triste história de Cândida Erêndira e sua avó desalmada* num fim de semana em Campinas, sequestrado da biblioteca do meu irmão. *Relato de um náufrago* veio depois. Parei em *Memória de minhas putas tristes*. Decidi que precisava distribuir seus livros com mais calma pelos anos que espero que a vida me conceda. Guardo *Cem anos de solidão* para algum período especialmente calmo que não sei se terei. Mas guardo mesmo assim.

Quando tinha 23 anos decidi gastar as férias e o pouco dinheiro que tinha guardado em uma viagem pela Colômbia, por razões óbvias. Fiz um roteiro especialmente cuidadoso. Precisava passar por Barranquilla para visitar o Museu do Caribe, onde havia uma sala dedicada unicamente a García Márquez, que viveu boa parte de sua vida na cidade. Precisava, obviamente, de dias em Cartagena com muita calma. Até tentei colocar Aracataca no roteiro, mas não dava tempo. Muito bem. Ao pesquisar hotéis em Cartagena, deparei com um especialmente maravilhoso, para o qual só sorri e nem olhei os preços. Era óbvio que não cabia no meu orçamento. Olhei outros. Mas algo me arrastava de novo para aquela maravilha inacessível. Voltei para ele. E fui embora. E voltei de novo. Até que descobri que aquele era o antigo convento de Santa Clara, no qual García Márquez baseou imensa parte de *Do amor e outros demônios*.

Nem quis saber o preço, nem como iria pagar. Era lá que eu ia ficar. Não havia a menor possibilidade de eu abrir mão daquilo. Isso porque eu ainda nem sabia que a casa ao lado do hotel era dele. Quando soube, meu coração disparou, meu olho encheu de lágrimas e eu já comecei a sentir algumas semelhanças – ainda que remotas – com os malucos que perseguem celebridades, mesmo que soubesse que ele provavelmente não estaria ali. Sabia que, àquela altura, ele já não morava mais na Colômbia.

Quando cheguei ao hotel, pisquei minhas melhores pestanas para o moço que carregava as malas e usei o melhor do meu enferrujado espanhol para perguntar se ele sabia qual era a casa do García Márquez. Ele me mostrou na hora. E eu subitamente virei a doida do hotel.

Na piscina, pegava a cadeira com a melhor vista para a casa, logo cedo. Ao entardecer ficava esperando para ver se luzes se acendiam lá dentro. Andava pelas alas do hotel tentando situar os trechos do livro. Tocava as paredes, cheirava a madeira, observava as aves com uma calma inédita. Imaginava-me na rua, encontrando o autor. O que eu diria, se poderia abraçá-lo, que cheiro ele teria e como explicaria o fato de estar rondando sua casa havia três dias. Tudo bem que ele deveria estar no México, mas sempre haveria uma possibilidade de estar na casa de Cartagena a passeio. Vai saber.

No último dia, antes de dormir, resolvi fazer minha última vigília. Fui até a parte do hotel que mais se aproximava da casa do escritor e fiquei ali, suspirando, com a cabeça apoiada no queixo. Imaginava o que ele faria em casa. Se estaria de pantufas, se comeria banana frita ou *pandebonos*, se leria numa poltrona à meia-luz ou se assistiria a algo bem inusitado na televisão. Até que tive a impressão de ver uma luz piscar.

Fiquei maluca. Precisava estar num lugar mais alto para enxergar. Olhei para trás. Havia uma escada da manutenção. Letras vermelhas diziam que o acesso era restrito. Não titubeei e subi, indo parar em cima de um equipamento qualquer no qual deveria haver risco acentuado de eletrocussão. Vi que havia, de fato, uma luz acesa em um cômodo nos fundos. Obviamente não era ele. Mas... E se fosse?

Como o fato de estar em um lugar proibido, em cima de um provável gerador, ainda não era loucura suficiente, comecei a pensar que, se eu tomasse impulso, conseguiria pular para dentro da casa dele. Sim, a distância permitia. Eu conseguiria chegar lá para conferir quem estava na casa. Mas eu poderia quebrar os joelhos. E poderia haver um cachorro imenso. Ou os irmãos Vicario à minha espera. Pensei melhor e achei que talvez não fosse uma boa ideia.

Fechei os olhos, recobrei alguma sanidade e decidi simplesmente agradecer. Agradeci mentalmente. Por tantas palavras, tantas histórias, tantas páginas. Agradeci por ele ter vivido e escrito cada linha. Chorei como choraria o melhor perseguidor de famosos. Desci as escadas, voltei para o quarto e sonhei com Florentino Ariza me esperando em um barco de madeira, segurando os remos.

García Márquez morreu pouco mais de um ano depois. Um ex-namorado até me ligou para saber se eu estava bem. Decidi que no dia em que eu voltar a Cartagena, farei tudo de novo. Mas, dessa vez, à espera de um encontro ainda mais especial. Nessa ocasião procurarei sua alma vagando na madrugada pelo antigo convento a esperar um encontro com a menina dos cabelos vermelhos de 22m de comprimento, mas talvez aceitando passar alguns minutos na companhia desta menina dos cabelos loiros de 22cm que segue esperando ansiosamente por conhecê-lo.

Fim do romance

O ANO ERA 2006. O cenário era Paris. Ela usufruía do frescor dos 18 anos recém-completados, da inconsequência e da falta do que fazer. Estudava francês e nada mais durante aqueles abençoados meses. Na verdade, a menina também lavava roupas, trocava a roupa de cama e limpava as janelas, mas isso não é lá muito digno de nota. Para ser mais específica, o ano era 2006, em plena Copa do Mundo, e o cenário era Paris no verão. Ela, apaixonadíssima pela língua francesa, usufruía do privilégio de aperfeiçoar seu francês de Aliança Francesa com o francês das *boulangeries*, dos boulevards e dos *supermarchés*. Era incrível como aquela língua parecia linda até quando a frase era "Não tenho troco para 50". Ela sempre dizia "Não importa o conteúdo, o francês sempre soa como poesia".

Tudo ia em clima de lua de mel até que aconteceu a traumática eliminação do Brasil pela França na Copa do Mundo, com um gol de Henry no segundo tempo. Estar em Paris naquela noite não teve nada de romântico. A menina chorou, exagerou na bebida barata e fez DDI para casa dizendo que queria ir embora daquele lugar horrível. Como se diria hoje, *white, so white people problem*.

Depois a coisa acalmou e tudo seguiu adiante. A França passou para as semifinais e ia jogar com Portugal. Todos os brasileiros tornaram-se ainda mais portugueses do que sempre foram. Vestiu-se de vermelho e verde e foi encontrar os amigos. Disseram que havia um bar com cerveja muito barata em Parmentier. Era razoavelmente perto do Marais, por isso não deveria ser muito ruim. Mas era.

Sentaram-se num bar genuinamente feio e sujo. As televisões

eram pequenas e não havia nem porção de batata frita. Tudo bem, com cerveja barata nada pode ser assim tão mau. Seu lugar na mesa ficava espremido entre dois amigos grandalhões e um francês inimigo na mesa ao lado, todos virados de lado para enxergar a televisão. Ela estava incomodada com o francês. Não apenas por ser francês – o que já era um problema por si só desde o gol do Henry –, mas por usar uma camisa amarela fechada apenas por dois botões na região do umbigo. O resto ficava à mostra: o peito com pelos claros e o fim da barriga, que mais parecia de fim de gestação, até chegar ao cinto marrom.

O homem tomava uma quantidade inimaginável de cerveja, falava alto, abria as pernas até esbarrar nos demais e dava socos na mesa quando se aborrecia com algum lance. Ela estava extremamente incomodada com aquele homem. Mas esse incômodo ia além da sua presença. Era um sentimento difícil de entender.

Conforme o tempo passava e os lances do jogo seguiam, ele gritava mais e mais, sempre utilizando xingamentos franceses que ela conhecia vagamente. Cutucava o dente do fundo com o dedo do meio, tossia sem colocar a mão na frente, uma porcaria. Ela estava quase a ponto de levantar-se dali.

Não entendia bem o porquê de tanto desagrado. Já tinha convivido com coisa pior. Olhou para ele fixamente e foi então que ela percebeu: ele estava estragando a língua francesa. Na boca daquele homem o francês chegava a parecer feio. Parecia deselegante, grosseiro, desagradável. Nem a frase mais bonita de um romance de Stendhal se salvaria naquela boca. Muito menos uma negativa de troco para a nota de 50.

No momento em que Zidane marcou o gol da vitória contra Portugal, ela percebeu que já não havia volta. Era o fim do intocável romance entre ela e o idioma. O francês, até agora casto e intangível, tornou-se humano, terreno, mortal e barrigudo. Não deixou de ser belo, mas passou a ser como todas as outras línguas, nem mais, nem menos. Dizem que os amores incondicionais só duram nessas condições até serem condicionados. Essa era uma dessas ocasiões. Seguiu o amor, mas acabou o romance.

Eu não casei com você

L EMBRO BEM. A primeira vez que isso aconteceu comigo foi na nave da Notre-Dame, chegando perto da rosácea. O japonês me confundiu com a mulher dele. Também, pudera, a esposa nipônica era parecidíssima comigo: eu sou loira, ela era morena, eu tenho 1,71m, ela deveria ter 1,55m, eu peso 60kg e ela algo em torno de 44kg, eu estava de branco e ela de verde-musgo, e ela esbanjava aquela malemolência brasileira para caminhar, assim como eu.

Eu estava lá admirando a arquitetura gótica quando o homem pequenino colocou a mão no meu ombro e continuou olhando para cima, deslumbrado com a imponência da igreja. Fiquei um pouco desconcertada. Achei melhor avisar. Planejava um *"Sorry but I think that..."* quando cutuquei levemente a mão do homenzinho. Ainda bem que arrependimento não mata. O pobre do asiático quase enfartou: virou a cabeça na minha direção e olhou para mim com um pavor que fez com que eu me sentisse mais assustadora do que o Zé do Caixão e o Pedro de Lara juntos. O pânico tomou conta do seu rosto, os olhos pequeninos arregalaram-se, a boca ficou torta e ele saiu numa disparada que deve ter terminado no altar da Capela Sistina.

Pois bem. Dez anos depois, a cena se repete. Estava caminhando pelo centro comercial Colombo, em Lisboa, quando um daqueles homens alaranjados com 2m de altura – que podem ser noruegueses, suecos ou finlandeses – aproximou-se pelas minhas costas. Aquele homem também decidiu que eu era sua esposa naquela tarde. Sejamos justos, dessa vez com um pouco mais de razão, em virtude da altura e da cor do cabelo.

Ocorre que seu porte físico não lembrava nem de longe aquela coisinha delicada que era o japonês da Notre-Dame. Despencou, então, em cima do meu ombro, uma mão de 30cm de diâmetro e cerca de 7,5kg ao mesmo tempo em que o homem berrou QUÃÃÃRTIGÃRIGÃRIGÃRI na minha orelha esquerda. O meu susto foi tão grande que dei um tapão na mão do indivíduo, enquanto gritava SAAAAAAAI e acelerava passos para a frente. Não sei se eu me assustei mais com ele ou ele comigo. O coitado do boneco de Olinda viking ainda tentou balbuciar um pedido de desculpas em norueguês/sueco/finlandês. Eu não quis nem saber e segui correndo. Depois de abrir uma distância de segurança, respirei aliviada e tentei reconhecer aquele lugar onde eu fui parar. Era a Capela Sistina. No segundo banco à esquerda estava o japonês, já quase recuperado do incidente de maio de 2006.

Viver longe dos irmãos

Houve um tempo em que morar na mesma casa é que era o problema. Começamos com as disputas pelos brinquedos, depois pelo controle remoto, evoluindo para a trilha sonora no carro e o tempo de ocupação do banheiro. Tudo era razão para eclodir um embrião de guerra civil.

Todos nós já desejamos, do alto da nossa imaturidade convicta, que eles desaparecessem daquela casa. Que não acabassem com as bolachas recheadas, não comessem o último pedaço da lasanha nem sumissem com as nossas meias preferidas. Já gritamos enfurecidos, dizendo que preferíamos dividir quarto com um animal qualquer do que com eles.

E então os anos passaram e finalmente saímos de casa. Nós ou eles, ou nós e eles. Carreira, estudos, casamento ou qualquer outra razão fez com que aquele velho ninho da discórdia passasse a fazer parte apenas da memória e não mais de um dia a dia conturbado.

Pareceu-nos, muitas vezes, na ignorância da infância ou na estupidez da adolescência, que a felicidade seria muito mais viável sem a presença diuturna daquelas criaturas que insistiam em invadir nosso espaço, apesar de todas as ameaças que julgávamos lhes fazer.

Mas essa ideia, como tantas outras que imaginávamos sobre a vida adulta, era uma cilada.

Hoje descobrimos que é extremamente dolorido ter que aproveitar a presença deles em eventos com hora marcada para terminar. Almoços, jantares, visitas. Que coisa sem cabimento. Eles têm hora para ir embora? Eu tenho hora para ir embora? Não, espera aí. Irmãos não foram feitos para ir embora. Foram feitos para ficar aqui, para podermos brigar sem pressa, ofender sem querer e amar sem prazo.

Agora nos flagramos adultos, acelerando as conversas quando nos vemos, tentando aproveitar-nos ao máximo, lutando contra o relógio. Nos vemos tapando buracos com mensagens de WhatsApp e linkando seus nomes em publicações de redes sociais que só eles entenderão. E às vezes, como quem sente uma pontada no peito, nos damos conta de que isso é tão, tão pouco. As distâncias variam. Alguns moram a 50m, outros a 50km. Outros mais sofridos vivem a 500km ou 5.000km. Em sua medida, todos sabem como dói. Os beliscões de antigamente foram substituídos por abraços sedentos. E nós descobrimos que os abraços raros doem muito mais do que os beliscões raivosos.

É bom saber que todos tomamos algum rumo, ainda que torto. É bom ver que a vida de cada um de nós caminhou. Mas é quase insuportável a ideia de tornar-se um espectador na vida de um irmão. Logo nós! Logo nós que sempre fomos os protagonistas de todos os espetáculos e shows de horrores da vida deles... Logo nós.

Irmãos nunca deveriam ficar longe uns dos outros. Juntos sempre foi melhor. Brigando, criticando, estapeando. O problema é que a vida adulta não nos faculta o luxo do perdão automático, nem da memória curta. Talvez por isso o tempo nos obrigue a aceitar alguma distância. Talvez, depois de abandonar a infância, a distância seja exatamente o que nos mantenha mais unidos.

Não sei. Sei que, de um modo ou de outro, machuca. Ir embora sem conversar tanto quanto queria, pedir socorro às tecnologias para sentir-se menos distante, não ter nem tempo para brigar e beliscar como sempre foi. Mas é uma daquelas dorzinhas de sorte. Da qual só usufrui quem teve a sorte de ter um irmão presente, que já foi odiável e irritante, mas que hoje é uma saudade diária e a certeza de que para estar junto não é preciso estar perto.

Coisas que o mundo inteiro deveria aprender com Portugal

DENTRE AS COISAS que mais detesto, duas podem ser destacadas: ingratidão e pessimismo. Sou incuravelmente grata e otimista e, comemorando quase dois anos em Lisboa, sinto que devo a Portugal o reconhecimento de coisas incríveis que existem aqui – embora pareça-me que muitos nem percebam.

Não estou dizendo que Portugal seja perfeito. Nenhum lugar é. Nem os portugueses são, nem os brasileiros, nem os alemães, nem ninguém. Para olharmos defeitos e pontos negativos basta abrir qualquer jornal, como fazemos diariamente. Mas acredito que Portugal tenha certas características nas quais o mundo inteiro deveria inspirar-se.

Para começo de conversa, o mundo deveria aprender a cozinhar com os portugueses. Os franceses aprenderiam que aqueles pratos com porções minúsculas não alegram ninguém. Os alemães descobririam outros acompanhamentos além da batata. Os ingleses aprenderiam tudo do zero. Bacalhau e pastel de nata? Não. Estamos falando de muito mais. Arroz de pato, arroz de polvo, alheira, peixe fresco grelhado, amêijoas, plumas de porco preto, grelos salteados, arroz de tomate, baba de camelo, arroz-doce, bolo de bolacha, ovos moles.

Mais do que isso, o mundo deveria aprender a se relacionar com a terra como os portugueses se relacionam. Conhecer a época das cerejas, das castanhas e da vindima. Saber que o porco é alentejano, que o vinho é do Douro. Talvez o pequeno território permita que os portugueses conheçam melhor o trajeto dos alimentos até a sua mesa, diferente do que ocorre, por exemplo, no Brasil.

O mundo deveria saber ligar a terra à família e à história como os portugueses. A história da quinta do avô, as origens trasmontanas da família, as receitas típicas da aldeia onde nasceu a avó. O mundo não deveria deixar o passado escoar tão rapidamente por entre os dedos. E, se alguns dizem que Portugal vive do passado, eu tenho certeza de que é isso o que os faz ter raízes tão fundas e fortes. O mundo deveria ter o balanço entre a rigidez e o afeto que têm os portugueses.

De nada adiantam a simpatia e o carisma brasileiros se eles nos impedem de agir com a seriedade e a firmeza que determinados assuntos exigem. O deputado Jair Bolsonaro, que defende ideias piores que as de Donald Trump, emergiu como piada e hoje se fortalece como descuido no nosso cenário político. Nem Bolsonaro nem Trump passariam em Portugal. Os portugueses – de direita ou de esquerda – não riem desse tipo de figura nem permitem que elas floresçam.

Ao mesmo tempo, de nada adianta o rigor japonês que acaba em suicídio, nem a frieza nórdica que resulta na ausência de vínculos. Os portugueses são dos poucos povos que sabem dosar rigidez e afeto, acidez e doçura, buscando sempre a medida correta de cada elemento, ainda que de forma inconsciente.

Todo país do mundo deveria ter uma data como o 25 de abril. Se o Brasil tivesse definido uma data para celebrar o fim da ditadura, talvez não observássemos com tanta dor a fragilidade da nossa democracia. Todo país deveria fixar o que é passado e o que é futuro através de datas como essa.

Todo idioma deveria carregar afeto nas palavras corriqueiras como o português de Portugal carrega. Gosto de ser chamada de miúda. Gosto de ver os meninos brincando e ouvir seus pais chamá--los carinhosamente de putos. Gosto do uso constante de diminutivos. Gosto de ouvir "Magoei-te?" quando alguém pisa no meu pé. Gosto do uso das palavras de forma doce.

O mundo deveria aprender a ter modéstia como os portugueses

– embora os portugueses devessem ter mais orgulho deste país do que costumam ter. Portugal usa suas melhores características para aproximar as pessoas, não para afastá-las. A arrogância que impera em tantos países europeus passa bem longe dos portugueses. O mundo deveria saber olhar para dentro e para fora como Portugal sabe. Portugal não vive centrado em si próprio como fazem os franceses e os norte-americanos. Por outro lado, não ignora importantes questões internas, priorizando o que vem de fora, como ocorre com tantos países colonizados.

Portugal é um país muito mais equilibrado do que a média e é muito maior do que parece. Acho que o mundo seria melhor se fosse um pouquinho mais parecido com Portugal. Essa sorte, pelo menos, nós, brasileiros, tivemos.

Bilinguismo luso-brasileiro (parte 2)

S EI QUE JÁ ESCREVI sobre isso. Mas não tenho culpa, o assunto não se esgota. Vivendo em Portugal, não sei se haverá um dia em que não acharei graça nisso tudo. Já mencionei os correios que descobri serem "curraios", o jet ski que é mota d'água, o sorvete de baunilha que vira "gelado de bónilha" e o fatídico dia em que meu namorado pediu para colocar o despertador para 8h30 e eu podia jurar que ele estava pedindo para eu colocar o despertador para o Tim Maia.

Mas a saga continuou. Em Portugal existe um canal de música chamado VH1, mas cujo nome eles pronunciam em inglês: "vi-eidge-uãn. Foi quando meu namorado disse: "O vi-eidge-uãn está mesmo com boas músicas." Ocorre que minha cunhada se chama Joana. E se ele fosse dizer "Vi a Joana", ele certamente diria "Vi-ai-juãn". Portanto, prontamente entendi que ele estava dizendo que tinha visto minha cunhada com boas músicas. E perguntei "Onde?" e ele disse "Na televisão". E então perguntei "Sua irmã ouve música na televisão?" e ele respondeu "Ai-juãn?" e eu disse "Sim, você não disse que ela está com boas músicas?" e ele rebateu "Ai-juãn? Não, o vi-eidge-uãn". Enfim, não vale a pena continuar narrando os minutos que levamos até nos entender.

Algo semelhante aconteceu quando fomos conversar com empreiteiros para fazer a obra da nossa casa. Conhecemos três, um deles moçambicano. E também fomos ver alguns materiais para a cozinha. Chegando em casa, eu perguntei "Qual foi o seu preferido?", me referindo aos empreiteiros. E ele prontamente respondeu sobre o material da cozinha. Seu favorito era o "corian", um revestimento branco para as bancadas. Obviamente que eu entendi que "corian" era sua forma lusitana de dizer "coreano". E perguntei "Moçambicano você quer dizer, amor?" e ele respondeu "O que tem o moçambicano?" e eu disse "Você falou que o moçambicano era coreano" e ele "Eu disse isso? Quando?" e eu "Agora, seu louco". Nessa situação levamos três meses para nos entender.

Numa outra ocasião, eu estava num evento em Lisboa e fiz uma pergunta qualquer a um senhor que trabalhava na produção. E ele me respondeu "Isso eu não sei responder, a senhora deve perguntar aos Açores". E eu repeti "Aos Açores?" e ele disse "Sim, senhora". Fiquei sem saber o que dizer. Encontrei um amigo português e disse, rindo, "Ele me mandou perguntar aos Açores" e o amigo respondeu "E qual a graça? Vamos lá perguntar". Eu perguntei, rindo mais, "Você vai me levar até os Açores?" e ele disse "Claro, eles estão ali". E então eu vi os assessores. Assessores. Assssssores. Açores.

Quando acho que estou me habituando às verduras que eles – estranhamente – chamam de grelos, encontro uma amiga portuguesa depois do almoço e digo "Onde você almoçou?". Ela responde "Num grl" e eu "Oi?" "Fomos a um grl". Eu tento me situar e pergunto "Foram comer grelos?" e ela "Não! Um grrrrllllll" e eu assustada "Comeram grilos?????" e ela, quase me batendo, "GRLLLL, GRLLLL, FOMOS A UM GRLLLL DE CARNES!". Ahhhh. Entendi. Um grill. Um grill de carnes, desculpe qualquer coisa.

Enfim. Eu sigo batalhando todo santo dia. E tento manter o humor, acima de tudo. Outro dia, meu namorado estava fazendo uma carne de porco, abriu o forno e disse "Acho que está fixe". "Fixe" é legal em Portugal. E eu fiz o brilhante e espirituoso comentário "Então deu errado, porque era pra ter ficado *pig* e não fixe". Ele não achou muita graça.

Comemos o *pig fish*, assistimos a *Frozen* pela nonagésima vez e minha enteada comeu bolachinhas com leite antes de dormir. Veio de pijama até mim com o pacote vazio na mão e perguntou "Ru, onde eu deito?" e eu falei "Ué, querida, na sua cama". Ela achou estranho e foi. Quando cheguei ao quarto, estava o pacote na cama, cheia de migalhas. Deitar. Deitar fora. Jogar fora. O pacote. Das bolachas. Saquei.

Como se sente um estrangeiro?

E STRANGEIRO É UM CONCEITO muito largo. Um sujeito que pode ser mil sujeitos. Eu não fui a mesma estrangeira na França que sou em Portugal. Assim como sei que um angolano, um francês ou um chinês em Portugal não se sentem da mesma forma que eu me sinto. Cada história é uma história, cada vivência é uma vivência. Mas, certos sentimentos, eu acredito que sejam comuns. Há angústias pelas quais todos passamos, há medos compartilhados, prazeres que todos experimentamos, dúvidas que nos acompanham sempre, como as malas de rodinha e as saudades permanentes.

Todos vivemos uma certa fragilidade de raízes. Para nossos conterrâneos somos os que foram embora, e para os que nos recebem seremos sempre os de fora. É como se não pertencêssemos verdadeiramente a nenhum dos dois lugares: somos estrangeiros onde vivemos e, num dado momento, também somos estrangeiros no país onde nascemos. E não é simples de se lidar com o sentimento que isso traz.

Ser estrangeiro é ter sempre uma estranha sensação de que estão nos fazendo favor de nos deixarem permanecer na nossa própria casa. Trabalhamos, pagamos as contas, temos documentos, amores, projetos, mas mesmo assim não parecemos ser tão donos das nossas vidas. Nunca sabemos se aparecerá um Trump ou um outro absurdo qualquer.

Por outro lado, temos a contraditória riqueza de sentir que vivemos duas vidas ao mesmo tempo, enquanto os demais vivem apenas uma. A sensação é boa e é ruim. Uma vida mais preenchida, dois países, duas bases, dois ninhos. Ao mesmo tempo, duas ausências, duas saudades, dois vazios.

É difícil ser estrangeiro. As dúvidas sempre pairarão a seu respeito, não importa quão fiável você seja. Se você tiver nascido no hemisfério sul, as dúvidas duplicam. Assim como suponho que não seja fácil ser português na França nem romeno na Alemanha. Estrangeiros são eternas hipóteses. Por que está aqui? O que quer aqui? O que veio buscar aqui?

Contudo, há dias em que o país que nos acolhe é puro abraço e nossas certezas dão o ar da graça. Há dias em que querem saber da nossa história, elogiam nosso sotaque e nossa coragem, fazem com que a gente se sinta bem-vindo. E talvez seja isso o que mais importa: sentir-se bem-vindo. Com o resto a gente vai lidando.

Ser estrangeiro é viver na corda bamba dos sentimentos, na saga eterna dos documentos, na incerteza dos olhares e nas graças dos braços abertos que compensam todo o resto.

E, no fundo, é boa a sensação de apresentar a música do Zambujo para os amigos de lá e a da Liniker para os amigos daqui. É bom levar azeitona boa para lá e trazer palmito de açaí para cá. Ensinar minhas amigas brasileiras a falarem "pirosa" e as amigas portuguesas a falarem "periguete". É bom presentear meu sogro com um livro do Gregorio Duvivier e meu pai com um do Ricardo Araújo Pereira. É sorte beber a melhor cachaça e o melhor vinho. É bom carregar a alegria do samba e a emoção do fado no mesmo peito.

Ser estrangeiro dói, por mais confortável que a situação possa ser. Não, não é fácil. Mas vale a pena. Como dizia um simpático senhor português que mora nas minhas prateleiras, desde que a alma não seja pequena. Quem quer passar além do Bojador, tem que passar além da dor. Aos poucos vamos aprendendo.

Diritto del Prosciutto

COM MEU NÍVEL no molto avanzato d'italiano, entendi que, cursando a tal pós-graduação, voltaria de Roma com boas noções do Direito do Trabalho italiano, bem como das diretrizes da União Europeia acerca do tema, incluindo a liberdade de circulação de trabalhadores, as políticas salariais e outras questões deliciosamente complexas.

Andiamo, partiu Roma. Enchi a mala com livros, canetas marca-texto, computador, dois óculos de grau e tudo mais que denotasse minhas melhores intenções acadêmicas para a empreitada. Cheguei bem, acomodei as malas, explorei a universidade, reconheci os colegas. Que beleza, vai ser uma boa temporada de estudos.

Mas é preciso interagir, é claro. Una birra gelada com os colegas. Com presunto, que maravilha de presunto. Mas vamos falar sobre Diritto del Lavoro. Me digam o que acham acerca do... Pão, pão também é bom. Com esse azeite de oliva mais virgem do que a Nossa Senhora e sal grosso, fica realmente ótimo, com certeza, vale muito a pena experimentar.

Vamos para a aula. Mas não sem levar um cappuccino, é verdade. Essa espuma de leite que eles colocam é um verdadeiro espetáculo. Chegou o professor. Qual o nome dele? Pietro? Pietro de quê? Pietro Fagioli? Tá de brincadeira. Professor Feijão. Realmente eles não colaboram para que a gente tire o foco da comida. Mas tudo bem, vamos lá, viemos para estudar.

Horário de almoço. Salada caprese, que é levinha, para não ter sono nas aulas da tarde. Mas tem gnocchi. E é com molho de tomate fresco, nossa. Só um pouquinho, não vai pesar. Vocês vão tomar vinho? Uma garrafa para quatro? Ok, não é assim tão mau. Vai ser tranquilo voltar para a aula, certamente.

Temos agora que nos reunir para debater o tema do trabalho em grupo. Direito de greve. O que eu acho mais polêmico acerca disso é o fato de que... Focaccia? Não, obrigada, agora não. Tá quentinha ainda? Só um pedacinho então, vai. Nossa, que massa leve, né? Você comprou aqui na cantina? Vou rapidinho pegar mais uma então, já volto.

Mas, pronto, hoje já é quarta-feira, vamos colocar 100% de foco no curso. O Professor De Sena fala sobre o sistema sindical italiano. Agora vai. No fim da aula nos sugere que visitemos uma bela exposição de um escultor italiano chamado Arnaldo... Pomodoro. Eu suspiro, enquanto abro um Baci Perugina que estava no cantinho da bolsa. Eu juro que estou tentando.

Saímos à noite. E era grissini pra cá, burrata pra lá, alcachofra, salame, pasta, pizza, Valpolicella, Pinot Nero. Depois teve Grappa. Limoncello. Aperol Spritz. Por incrível que pareça, nesse cenário o debate jurídico laboral começou a florescer.

– Bem, eu sinceramente discordo do Professor Pomodoro sobre a questão das centrais sindicais.

– Não é Pomodoro.

– É pomodoro, sim – disse a outra colega, comendo seu linguine –, pomodoro e mozzarella.

– Não. O Professor. É Fagioli. Pomodoro é o pintor.

– Ah, sim. Achei que era a minha massa.

– A massa é pomodoro mesmo.

– Mas voltando às centrais sind... Tem vinho ainda?

– Nas centrais sindicais?

– Não. Na garrafa. Acabou? Vamos pedir outra?

– Vamos, mas continua aí com as centrais.

– Então, aqui eles têm aquela lei... lei de pecorino?

– Não, pecorino é queijo.

– Putz, será que era lei de mascarpone?

– Certamente não.

– Mas o que dizia a lei?

– Dizia que toda contribuição sind... Chegou o vinho.

– Pede mais uns salaminhos, não?

– Sim, uma tábua de frios.

– E eu vou querer um tiramisù.

– Porque nas centrais sindicais, o número de parcelas pag...

– E um Amaretto.

– Dois.

– Três.

– Parcelas?

– Café.

– Sem açúcar.

– Para mim com.

– Pomodoro.

– Fagioli.

– Pecorino.

– Centrais sindicais.

– Exato.

– Certamente.

– Como não?

Hemisférios

Há TRÊS DIAS eu estava em Lisboa. Lá, fevereiro é mês de esticar as meias de lã até os joelhos e colocar os braços para fora da janela, tentando concluir se o casaco pode ser curto ou se é melhor ser longo, tendo em vista meu termômetro eternamente tropical. É mês para contar quanto tempo falta para o frio se afastar, permitindo que os braços e as pernas voltem a ver as ruas.

Mas cai a noite em fevereiro e os cheiros são bons. O cheiro da sopa que depois de tantos anos tornou-se bem-vinda, o cheiro do vinho tinto que desde que se tornou permitido sempre foi tão bem-vindo e o cheiro do cabelo da miúda, tão curiosamente bem-vinda, no beijo roubado de boa-noite.

O pouco que verdadeiramente aquece vem dele: braços seguros e xícaras de chá. É frio demais e é bom por ser exatamente assim.

Há dois dias estou em São Paulo.

Aqui, fevereiro é mês no qual não se abre a gaveta das meias. Mês de abrir a janela e olhar para o céu, tentando concluir se dá para sair às 14h ou se é melhor esperar até o sol baixar às 16h. É mês para se perguntar quando chegará uma trégua, um vento fresco, uma chance de comer massa com molho branco.

Mas a noite cai em fevereiro e os cheiros são bons. O cheiro da chuva de verão, tão assustadora quanto bem-vinda, o cheiro do repelente de mosquitos, que é cheiro de infância e de férias, cuja memória se sobrepõe à dos insetos, tão pouco bem-vindos. O cheiro do suor no pescoço das sobrinhas, da grande e da pequena, invariavelmente bem-vindas.

O pouco que refresca vem deles: meu pai se aproximando com copos de cerveja, minha mãe se aproximando com estrelas de carambola. É quente demais e é bom por ser exatamente assim.

Deve ser isso que chamam de sorte.

Voo 1052

F OI NUMA QUARTA-FEIRA, aguardando a ponte aérea CGH-SDU, que deveria sair às 19h30. Cheguei ao aeroporto pouco depois das 18h porque gosto de fingir apreço pela antecedência, mas, na verdade, o que gosto é de ter uma hora inteira no portão de embarque, sem wi-fi, para poder ficar lendo sem culpa.

Tudo corria normalmente: os voos estavam atrasados por causa da chuva, duas irmãs com cerca de 2 e 4 anos brigavam pelo iPad e um rapaz mascava chiclete de boca aberta enquanto brincava de ficar chutando o próprio chinelo para a frente e para trás. Congonhas sendo Congonhas.

Já me preparava para não partir antes das 20h, mas estava muito entretida com minha leitura. Era um livro que ganhei de um editor que me garantiu ser uma das obras-primas da literatura brasileira contemporânea. Eu estava detestando, mas seguia lendo o romance apenas para me certificar de que aquilo era mesmo insuportável. Agora já evoluí para farpas de ódio – sentimento raro nesse meu peito leve – e já não sei se sou capaz de ir além da página 87.

Estava lendo o nonagésimo trecho no qual ele descrevia mulheres apenas pelo formato do corpo (enquanto todo homem do romance merecia uma longa explanação profissional, psicológica e filosófica), quando o homem sentado na minha frente no portão de embarque gritou "Eita, tá pegando fogo no avião!", enquanto apontava para a janela que exibia a curta pista do aeroporto.

Olhei assustada e, de fato, a turbina de um avião pegava fogo. Mas era um foguinho besta para quem via de fora (e, provavelmente, nada besta para quem estava lá dentro). Vieram os bombeiros, os jatos de água, a espuma e o escambau. Em cinco minutos já parecia estar tudo bem, mas a pista ficou fechada por mais de uma hora.

O resultado nós já sabíamos: voos cancelados, voos remanejados para Guarulhos e outros aborrecimentos. Mas meu voo, o 1052, seguia misterioso. Constava apenas como atrasado, sem maiores detalhes. As horas foram passando e todos tentavam buscar informações, sem sucesso. O senhor de origem nipônica ia ao balcão a cada dez minutos e voltava com novidades pouco relevantes que contava para sua esposa enquanto os demais passageiros, inclusive eu, esticavam o pescoço para ouvi-lo.

Com o passar do tempo, as pessoas começaram a dialogar e divagar sobre o porquê de o nosso voo ser um dos únicos que seguiam sem desfecho. Fazíamos as contas do horário para tentar entender se conseguiríamos pousar no Santos Dumont. Começava a nascer ali um improvável espírito de equipe: todos éramos 1052. Estávamos cansados e impacientes, mas os passageiros deixaram de ser meros indivíduos isolados para transformarem-se em membros de um time.

O gordinho da regata vermelha trazia notícias para todos. As adolescentes entravam na internet para tentar descobrir se nosso avião já havia pousado em Congonhas, informando-nos em voz alta. Pessoas iam ao banheiro e pediam para os outros, que já não eram assim tão desconhecidos, olharem a mala, guardarem a poltrona ou segurarem o avião, caso o embarque começasse sem elas.

Já eram quase onze da noite quando cancelaram oficialmente o voo. Andávamos em bando pelo aeroporto. 1052 já era o nome de um sentimento comum de expectativa e frustração. Fomos todos juntos até a esteira de bagagens e depois até o check-in para tentar remarcar as passagens. Ajudávamos a moça que estava sozinha com dois bebês, pedimos cadeira de rodas para a senhora de quase 90.

Cheguei em casa quase meia-noite, com o voo remarcado para

a manhã seguinte, sabendo que nunca mais veria os membros do voo 1052. Mas fomos uma coisa só durante aquelas quatro horas. Fomos cúmplices e próximos, quase uma família 1052. Tornei-me 1062 na manhã seguinte. Mas, dessa vez, tudo correu bem e os passageiros nem olharam uns para os outros, cegos e invisíveis.

Eire

CAMINHEI POR SUAS RUAS
Debaixo de temporais
Mergulhada até o pescoço
Naquela angústia inédita
Peitei suas noites
Tão frias no vento implacável
Tão quente nos homens inúteis
Que brigavam nos bares
Como bichos
Mas tentei
Juro que tentei gostar
Do céu cinza e triste
E do seu cheiro embriagado
Pela manhã
Contra minha vontade
Fui embora
Contra minha vontade
Voltei
Tão cega e tão certa
De ser dispensável
Naquele cenário
Mas ainda assim
Havia um sol
Tímido e caduco
Convivendo estranhamente

Com o vento
Sempre o vento
Mesmo vento
Intragável vento
Tentei gostar do seu Liffey
E ver algum sentido
Naquele Spire
Fincado em suas entranhas
Mas eu simplesmente
Não pude
Por isso
Me desculpe
Se fui mesquinha
Se fui rude
E se até hoje
Te olho no mapa
Com algum desprezo
Alguma mágoa
A culpa não é sua
Se seus dias frios
Me pareceram curtos demais
E se nos dias de verão
Seu sol senil
Não sabia a hora certa
De se pôr
Me desculpe
Se todas as suas memórias
Me são ácidas
Como seu cheiro
Acre, corrosivo e sarcástico
Até pisar em seu solo
Pouco fértil
Eu só conhecia

Paisagens coloridas
E ventos desejados
Mas você apareceu
Monocromática
Incômoda e
Indesejada
Descontente
Ébria
E suja
Como é toda verdade

P.S.: Não sou justa com a Irlanda, tenho consciência disso.
Mas memórias ruins estragam cidades, estragam países,
estragam nomes, estragam cheiros, estragam sabores.
A culpa não é da Irlanda, eu sei. Me desculpe, Eire, mas é
mais forte do que eu.

Amor e fé

K ATE ESTAVA NA FILA do Burger King. Era mais um dia falho de verão em Belfast, no qual um casaco leve nunca bastava. Passava as mãos pelos braços, que estavam levemente arrepiados, levantando seus poucos pelos loiros. Bill estava atrás dela e reparava, encantado, na nuca de Kate, que era muito mais comprida do que o normal. Ela tinha 18 anos e ele acabara de completar 20. Apaixonaram-se assim que ela se virou com a bandeja, que equilibrava a batata frita apoiada no refrigerante, e deu de cara com ele. Bill, na verdade, já havia se apaixonado quando deu de nuca com ela. Nem precisou da cara.

Tratava-se de um típico romance de Burger King, sem maiores complicações. Não havia crises de ciúmes, desconfiança nem longas discussões. Eram simples como sorvete e hambúrguer. Gostavam-se, riam, beijavam-se e passeavam por aquela estranha cidade, frequentemente abrigados em um guarda-chuva amarelo.

Passaram-se dois meses até que resolveram encarar o assunto. Eram jovens, mas já haviam vivido o suficiente para saber que aquilo não seria simples. No melhor estilo Romeu e Julieta, Bill era católico e Kate era protestante. Ou melhor: a família dele era católica e a dela era protestante. Eles já nem eram muita coisa. Eram apenas jovens que acreditavam em coisas mais simples como o novo álbum do Ed Sheeran e a necessidade de encontrar um bom emprego para sobreviver. Ainda assim, sabiam que não seria fácil.

A marcha da Ordem Laranja seria no fim de semana seguinte, mas, mesmo assim, resolveram contar aos pais sobre o namoro recente. Não havia momento menos propício para fazê-lo do que aquele, que marcava a longa e dolorida divisão religiosa do país. Mas eles não podiam mais esperar. Amor jovem nunca pode esperar. Contaram, cada um em sua casa, na mesma hora. Explicaram-se, justificaram-se, prometeram. E, curiosamente, católicos e protestantes, por serem tão diferentes, reagiram exatamente da mesma forma: acabem com isso agora. Agora.

Como não poderia deixar de ser numa história como esta, Bill e Kate resolveram fugir. O destino escolhido era Londres, onde, em tese, poderiam ser livres. Planejaram tudo às pressas e com pouco dinheiro. Saíram de suas casas com mochilas nas costas. Era, efetivamente, o dia da marcha da Ordem Laranja. Algo quase simbólico para aquela rebeldia. Encontraram-se perto da Queen's University e caminharam apressados rumo à estação de trem.

Quando passavam por uma das ruas isoladas pela polícia local para que a marcha protestante não passasse em frente a uma igreja católica, ouviram gritos. Cerca de seis homens embriagados espancavam-se em nome da fé. Foi quando um deles arremessou uma garrafa de vidro. A garrafa voou incerta, até chegar com toda força à longa nuca de Kate. A velocidade entre o golpe, o desmaio, o tombo para a frente, a queda, o esmagamento da frente do crânio pela pancada contra a calçada e a morte de Kate foi tão curta quanto o tempo que os homens levaram para avançar contra Bill. Os bêbados protestantes julgando-o católico e os bêbados católicos julgando-o protestante. Bill foi atingido em quase todos os pontos do corpo. Teve a sorte de ficar desacordado logo com o primeiro soco no rosto. Caído no chão, recebeu incontáveis chutes, perdeu dentes, quebrou costelas. Por sorte, Bill também não sobreviveu.

Nenhum dos dois teve tempo de entender o que aconteceu nem de chorar a perda de tamanha paixão. Seus corpos foram recolhidos e enterrados em cemitérios diferentes, em pontos opostos da cidade, honrando o fato de um ser católico e a outra protestante. Ambos tiveram missa de sétimo dia, para que a mesma fé que lhes matou agora assegurasse que eles entrassem serenos no reino de Deus.

Os pais dele culparam os protestantes pela morte do filho, sobretudo a finada namorada, tão morta quanto perigosa, do alto dos seus 18 anos. Os pais dela culparam os católicos pela dolorosa perda, especialmente o rapaz, que tirou a filha do caminho correto para levá-la até a morte.

As famílias encontraram conforto na igreja para poderem seguir adiante, com o peito cheio de saudades. E, em nome de Deus, também cheio de ódio.

Me olvidé de vivir

(C ENÁRIO: MADRI, JULHO, 39 graus, fim de tarde, o calor emana do asfalto, o protagonista tenta se recuperar de uma virose, mas a cada quatro minutos seu corpo grita que precisa de cama, banheiro e remédio para enjoo.)

(Pensamentos do protagonista enquanto caminha: vou pegar o metrô. Não, não vou dar conta. Aquilo vai chacoalhar e eu vou vomitar. Será possível que vou ter que pagar um táxi? Um táxi até o hotel vai dar mais de dez euros. Mas não vai ter jeito. Vou pegar um táxi.)

(Primeira tentativa de pegar um táxi, o taxista não viu; segunda tentativa de pegar um táxi, estava cheio; terceira tentativa de pegar um táxi, o taxista para.)

(Dentro do táxi: o taxista tinha seus 50 e muitos, um cabelo desgrenhado e uma camisa inexplicável. O homem estava comendo um tipo qualquer de salame, fatiado numa bandeja de isopor, cujo cheiro se espalhava pelo carro, a música estava alta, parecia ser Julio Iglesias.)

(Diálogo: buenas tardes, buenas tardes, por favor, voy a Chamartín, Avenida de América, derecha o izquierda? 41, no sé, bámos, si necessário yo travesso la calle, no se puede cruzar, lo bemos adelante, solo bámos porque no me siento muy bien, bámos.)

(Tipo de condução: aqueles motoristas que brecam de forma violenta, arremessando os passageiros para a frente, depois arrancam de forma violenta, fazendo com que os passageiros batam as costas no encosto do banco e assim, sucessivamente, como se fosse uma montanha-russa.)

(Trilha sonora: *De tanto jugar con los sentimientos, viviendo de aplausos envueltos en sueños, de tanto gritar mis canciones al viento, ya no soy como ayer, ya no se lo que siento, ME OLVIDÉ DE VIVIR, ME OLVIDÉ DE VIVIR, ME OLVIDÉ DE VIVIR.*)

(Contexto geral: muito calor, muito enjoo, muito cheiro de salame, condução aos trancos, Julio Iglesias gritando que esqueceu de viver, o protagonista suando frio, com a cabeça apoiada na janela aberta tentando fugir do cheiro, da música, precavendo-se de um vômito eventual.)

(Decurso de tempo: passam-se doze minutos do mais intenso desconforto, que pareceram cerca de quatro horas para o protagonista, que agarra-se à porta do carro, quase como uma lagartixa fixada à parede.)

(*De tannnnnnto cantarle al amor y la vvvvvvida, me quede sin amor una noche de un díííía, de tanto jugar con quien yo más queríaaaaaa, perdí sin querer lo mejor que teníaaaaaa, ME OLVIDÉ DE VIVIIIIR, ME OLVIDÉ DE VIVIIIIIR, ME OLVIDÉ DE VIVIIIIIR.*)

(Diálogo: acá, acá está bien, pero estamos en 18, vas en 41, no no, está perfecto, voy a bajar, está muy bien, son 11,80 euros, acá, 15, perfecto, no preciso de cambio(!), gracias, gracias, hasta luego.)

(O protagonista desce do táxi, vai cambaleando até uma mureta, senta-se, coloca a cabeça entre as mãos, respira fundo, limpa o suor da testa, sente uma leve brisa, sente frio, sente calor, sente raiva, permanece na mureta por vinte minutos, depois caminha até o 41.)

Todo rosto mexicano

TODO ROSTO MEXICANO
Tem muitos anos
Muitos
Muitos anos
A mais
Que todos
Os outros rostos
E não importa a idade
Do corpo no qual
Vive o rosto
Um rosto mexicano
Grita história
Grita memórias
Como se tivesse
Presenciado tudo
Maias
Mexicas
Águias
Cactos e cobras
E todo o sangue
Derramado
Todo rosto mexicano
Diz
Que esteve lá
Que sabe

Que não perdoou
Nem vai perdoar
Todo rosto mexicano
Grita
Não ser espanhol
Não ser um quintal
Não ser nada
Que não seja
Tudo aquilo
Que está
Estampado
Naquele rosto

Amores e distância

E RA UMA VEZ uma pessoa. E era uma vez outra pessoa. E era uma vez um amor. E como se já não bastassem todas as complicações inerentes ao amor, este vinha com um bônus: quilômetros. Quilômetros de distância que estavam lá por alguma razão. Trabalho, estudo, família, raízes, origens, destino, sorte ou azar. Quilômetros estes pelos quais circulavam diariamente as tradicionais e inevitáveis saudades, as inegáveis angústias, a latente ansiedade e a eterna sensação de ser um pouco injustiçado pela vida.

Era uma vez essa história clássica, espalhada pelo mundo como vírus, mas que é sempre nova e fresca e que vive em milhares ou milhões de peitos com essa avassaladora capacidade de causar transtornos e alegrias na mesma medida.

Seriam "amor" e "distância" palavras incompatíveis por natureza? Ou seriam daquelas palavras que se atraem como ímãs na sede de criar histórias dignas de roteiros de cinema, atravessando oceanos, desafiando o tempo e todas as probabilidades?

Seria uma espécie de teste? Uma prova para atestar quão dispostos estamos a nos dar? Seria provação? Uma avaliação para tentar demonstrar nosso grau de interesse pelo amor?

Sei que, por vezes, parece piada de mau gosto do destino. Quando, por exemplo, nos flagramos invejando um casal que está tendo o luxo de passear de mãos dadas. Quando esticamos o braço na cama durante a noite e tudo o que encontramos é espaço vazio. Quando descobrimos que o olfato também sente saudades, como se todo o resto já não fosse suficiente.

E os palcos para as mais belas cenas de amor deixam de ser o entardecer na praia ou a tarde chuvosa no campo para ser um saguão de aeroporto às 7 da manhã de uma terça-feira, uma rodoviária lotada no fim do dia ou uma estação de trem cheia de rostos desconhecidos e completamente alheios à sua história.

E você então descobre pequenas dores em atos que sequer fazia ideia de que existiam: acariciar rostos em fotos; passar perfume para falar no Skype; adormecer com o celular na mão, tentando vencer o sono e a distância e acabar sucumbindo a ambos; fazer da vida uma contagem regressiva, sem se lembrar de que cada dia vencido é um dia a menos de vida.

Descobre novos surtos e neuroses, nos quais a frase "Vou tomar uma cerveja" é lida como "Vou tomar 14 cervejas, 8 uísques e 5 doses de tequila com 18 mulheres de 1,80m, cabelos sedosos e seios fartos". Ou a frase "Vou sair para jantar" é lida como "Vou sair para jantar de cinta-liga, salto 15 e seguir diretamente para uma bunga-bunga do Berlusconi". Acontece. Não é fácil não pirar.

E acaba descobrindo também algumas novas alegrias: as promoções de passagens, o súbito momento em que o sinal do 3G é bom o bastante para aguentar 7 minutos de FaceTime, o prazer de acordar com uma notificação querida de WhatsApp. É uma verdadeira arte de buscar ânimo em pequenas coisas.

Mas a verdade é que não é fácil. É bem mais difícil do que matar um leão por dia. Porque a saudade a gente não tem como matar. A falta a gente não tem como suprir. A ausência a gente não consegue aceitar sem uma certa relutância.

Mas é realmente incrível nossa capacidade de adaptação. O esforço do cérebro para tornar as lembranças um pouco sensoriais: a memória do toque, do cheiro, do gosto. O dia a dia que vai se ajeitando. O coração que se acalma um pouco, mas que continua batendo forte a cada pequena lembrança.

Tem dias em que a gente se questiona. Faz mesmo sentido? Até quando? Até onde vamos? Tem dias de "E se...". E se não der certo? E se for perda de tempo? E se a gente não conseguir dar conta?

Mas, no fim, a verdade é que, se é amor mesmo, a gente sabe que vale a pena. Cada passo, cada suspiro, cada quilômetro encarado. E a gente sabe que não tem saída: viver o romance impossível é mil vezes melhor que não viver o romance. E que, no fundo, essa ânsia dolorida faz com que a gente se sinta extremamente vivo a cada dia. E amar no conforto, no sólido, no concreto é sempre lindo. Mas amar no desafio, no sacrifício diário, na corda bamba é gigante. É para os fortes. Os corajosos. Os dispostos. Os que declaram, seguros, para a vida:

Vim para amar.

E vou amar.

Não importa como, eu vou.

E não me ofereça um amor mais fácil.

É esse que eu quero.

Esse é o meu.

Não tem outro.

P.S.: Não desistam. A melhor coisa que eu fiz foi não desistir.

Felicidade clandestina

Quem nunca roubou não vai me entender. E quem nunca
roubou rosas, então é que jamais poderá me entender.
Eu, em pequena, roubava rosas.
(...)
O que é que eu fazia com a rosa? Fazia isso: ela era minha.
Levei-a para casa, coloquei-a num copo d'água, onde ficou
soberana, de pétalas grossas e aveludadas, com vários
entretons de rosa-chá. No centro dela a cor se concentrava
mais e seu coração quase parecia vermelho.
Foi tão bom.
Foi tão bom que simplesmente passei a roubar rosas.

Felicidade clandestina
– CLARICE LISPECTOR

QUANDO EU ERA CRIANÇA eu roubava brócolis semanalmente. Toda quarta era a mesma coisa. Ia à feira com a minha mãe e, ao chegar na barraca de verduras, ia para a frente dos brócolis e arrancava os brotos, um por um, e já ia comendo, julgando que ninguém percebia. Não havia nenhum sabor melhor do que o daqueles brócolis crus, sujos e cheios de ilicitude.

Quem nunca roubou não vai me entender. Clarice me entenderia. Aliás, Clarice me entenderia por inteira, não tenho qualquer dúvida. Ouso dizer que temos essas mesmas raízes nos pequenos furtos, no Leste Europeu, na força da solidão, na intensidade do amor. Ouso dizer que tento, de vez em quando, parecer um pouquinho com ela. Quem sabe, qualquer hora, eu também comece a roubar rosas.

A geração que só quer viver amores de cinema

N A SEMANA PASSADA fui surpreendida por uma amiga de infância contando que vai se casar no ano que vem. Ela namora aquele cara – que é simpático e boa pessoa – há alguns anos, mas é nítido que não há grandes indícios de paixão por ali. Eles me parecem felizes, mas transmitem uma relação um pouco morna, excessivamente tranquila.

A princípio fiquei bem preocupada. Pensei que ela estava cometendo um grande erro, que estava afundando sua vida antes dos 30 com a formalização de uma relação sem sentido. Mas andei refletindo melhor e começo a perceber que quem estava equivocada, no fundo, era eu.

Nós estabelecemos, nas últimas décadas, uma forma-padrão-ideal-jovem-romântica-contemporânea do que deve ser um relacionamento feliz, consolidada pelos amores fictícios cinematográficos e reiterada pelos amores de Instagram. É uma fórmula ousada e quase inatingível: tem que haver amor, tem que haver paixão, tem que haver tesão, tem que haver cumplicidade, tem que haver amizade, tem que haver liberdade, tem que haver parceria, tem que haver humor, tem que haver um milhão de coisas.

De certa forma, é fácil entender essa nossa reação, uma vez que muitos dos nossos avós (e até alguns dos nossos pais) entraram em casamentos de conveniência, sem sentimentos verdadeiros. Parte deles até conseguiu desenvolver o afeto e o amor ao longo dos anos. Outros não. E é exatamente desse tipo de relação que nós decidimos fugir como o diabo foge da cruz.

Mas começamos a reunir tantas exigências acerca de um relacionamento, numa espécie de tudo ou nada, que nos tornamos eternamente insatisfeitos. Sempre está faltando alguma coisa e nossa tolerância está muito perto do zero. Parece, inclusive, que precisamos ser aqueles casais impecáveis, felizes e bonitos para protagonizar belas fotos para as redes sociais. Menos do que isso é fracasso.

Por outro lado, tantas outras pessoas da nossa geração acabam por simplesmente não se relacionar por ficarem eternamente aguardando uma relação que não precise de retoques. São os dois tipos frequentes de frustração: os que não encontram relacionamentos ideais e os que não vivem amores perfeitos.

Os relacionamentos não precisam caber todos num mesmo molde. O que é preciso é que o casal esteja dançando a mesma música. Tem casal para o qual a parceria é muito mais importante do que o tesão. Tem casal para o qual o humor é muito mais importante do que a paixão. Tem casal para o qual a liberdade é muito mais importante do que a cumplicidade. Tudo pode funcionar, desde que funcione para ambos.

No fundo, é realmente meio ridículo nós ficarmos julgando os relacionamentos alheios através de critérios que são nossos. Cada história é uma história e ponto. O que é importante para mim pode não ser importante para aquela minha amiga. Não existe uma fórmula universal para isso.

E é um erro ainda maior ficarmos comparando todos esses relacionamentos com aqueles que nos vendem como superverdadeiros e que na realidade não passam de utopia, marketing ou fachada. Relacionamentos não servem para postar, comparar, idealizar. Relacionamentos servem para ser de verdade.

Mulheres fantásticas também tomam pé na bunda

Há meses ando acompanhando um fenômeno estranho: semanalmente tenho uma nova amiga solteira. Mas não é qualquer tipo de solteirice, é aquela imposta e sofrida, mais conhecida como pé na bunda.

O mais estranho é que todas elas têm o mesmo perfil: especialmente bonitas, especialmente inteligentes, especialmente bem-sucedidas, especialmente bem-vestidas e especialmente bem-resolvidas.

É uma espécie de epidemia, parece que ninguém está segura.

E é um fenômeno generalizado. Quem não tem uma amiga fantástica que não tenha passado por isso recentemente?

As supostas justificativas são as mais diversas: você trabalha demais; você é incrível demais; você é exigente demais; você é controladora demais; você é expansiva demais; você é doce demais; você estuda demais.

Enfim, são inegavelmente mulheres que são demais para esses caras.

E toda semana tenho visto alguém em mar aberto. Sem rumo, sem chão, chorando um oceano. Apavorada por achar que nunca mais vai encontrar alguém "tão legal quanto ele". Com medo de morrer sozinha com sete gatos. Com medo de ter que fazer um Tinder ou de ir pra balada e ter que ficar com um cara que usa jeans rasgado e corrente de prata.

Fico olhando para essas mulheres. Seus cabelos impecáveis, seus currículos invejáveis, seus empregos imponentes, mas se achando as últimas das criaturas.

Já desisti de tentar entender tudo isso. Dizem que é difícil entender as mulheres, mas tentar entender esses caras me parece ainda mais desafiador.

É claro que sempre podemos melhorar algo no nosso comportamento para os próximos relacionamentos. Não estou dizendo que somos perfeitas, que não devemos repensar atitudes ou que estamos acima do bem e do mal.

Mas sério, queridas, não se culpem.

Não se perguntem se a culpa do término é daquela celulite que sempre aparece na sua coxa esquerda quando você cruza a perna. Nem se é daquele pijama de bolinha que você usa no inverno. Nem dos três quilos que você não perdeu. Nem dos livros que você leu enquanto ele roncava. Nem do fato de você babar quando dorme. Nem daquele fim de semana em que não deu tempo de depilar a perna.

Nem de nada! Nem dos seus erros, nem dos seus defeitos, nem das suas crises!

A culpa não é sua. E talvez nem dele. Acabou, acabou.

Talvez ele peça para voltar, talvez não. Talvez ele implore, talvez você não queira. Talvez você fraqueje, talvez siga como a rainha do gelo. Talvez ele apareça com uma mulher com 3m de perna e peitos na altura do queixo. Talvez ele vire gay. Talvez ele se apaixone pela mulher mais feia do bairro, mas que é gente fina pra caramba. Talvez apareça na sua porta com um diamante do tamanho de uma lichia e vocês sejam mais felizes que William e Kate. Sei lá. O fato é que, sabe lá Deus por quê, atualmente ele não quer mais ficar com essa mulher incrível que você é.

E a culpa não é sua mesmo. Ele tem as razões dele. E ele simplesmente tinha duas escolhas: ficar com você ou não, com todas as suas qualidades e seus defeitos. E ele escolheu o "ou não". Simples assim. Não o odeie. Mas principalmente: não se odeie.

Keep walking, querida. Acontece com todo mundo. Mas não vou negar que está acontecendo mais com as mais incríveis.

Algumas se perguntam se é o caso de disfarçar as qualidades

com os novos paqueras. Fingir-se de burra, mentir sobre o emprego, falar que ganha mal. Tentar não assustar.

Não, não, nada disso. Continuem imponentes. Lindas. Invejáveis. Honrem tudo que conquistaram. Se o teco-teco não acompanha o boeing, paciência. Continuem voando. Uma hora a gente aterrissa em terras melhores.

E sim, há terras melhores, tenham certeza. Há caras bacanas soltos por aí. Há histórias incríveis para se viver. E há centenas de dias melhores te esperando.

Você ainda vai sentir a minha falta

SEI QUE VOCÊ ACHA que não,
mas você vai sentir a minha falta.
Sei que acha que eu sou bem menos
do que deveria ser.
Que há outras muito melhores.
Outras mais doces.
Outras mais mansas.
Outras melhores de conviver.
Sei que você acha que já é hora
de me ver passar por aquela porta.
Hora de me ver pelas costas,
de me desejar alguma sorte
e respirar o alívio da minha ausência,
da falta da minha presença tão larga,
tão inconveniente, tão forte.
Sei que você anseia por me alocar no passado,
por dizer que não me deseja mal,
mas que foi melhor assim,
antes que alguém acabasse mais machucado.
Vai dizer que eu não me encaixava,
que eu não era a peça exata,
que eu poderia ter feito as coisas darem certo,
mas que assim não dava.
Vai dizer que não era para ser,
que não era eu. Não era.

Sei que você acredita que o futuro guarda
grandes presentes
moças sorridentes
e dias de sol.

Mas sei que um dia me encontrará
num mercado qualquer
em meio aos anos que passaram
e às ofertas que a gente não quer.

Virá na minha direção
com olhos mudados
tom de voz alterado
e segurará as minhas mãos,
relativizando as certezas do passado.

Vai por mim,
use a pouca generosidade que te sobra.

Porque você ainda vai sentir muito
muito
a minha falta,
sogra.

A delícia de perceber que a vida seguiu em frente

Aí PRONTO. BALADA, fim de madrugada, um monte de gente semiembriagada e o DJ solta a música da Anitta: "Deixa ele chorar, deixa ele chorar, deixa ele sofrer, deixa ele saber que eu tô curtindo pra valer." E eis que uma multidão de rostos – incluindo alguns que nem devem gostar da música – se enche de um ar soberano de satisfação e dezenas começam a cantar aquilo como se fosse o hino da própria vida.

"Deixa ele(a) saber que eu tô curtindo pra valer." Não é coisa só de menina, de adolescente, de colegial. Seria bem mais fácil se fosse. Mas não. Homens adultos, mulheres de 50 anos, gays barbudos, executivas bem-sucedidas, entregadores de pizza. Ninguém está livre de um rompimento sofrido e de um pós-rompimento que nos rasgue dos pés à cabeça.

Anitta não te representa? Serve Chico Buarque? "Quando você me quiser rever/ Já vai me encontrar refeita, pode crer/ Olhos nos olhos, quero ver o que você faz/ Ao sentir que sem você eu passo bem demais." Ou então que tal Beth Carvalho? "Eu vou festejar (vou festejar!)/ O teu sofrer, o teu penar."

Faz parte da vida de todo mundo. Sofrer, muitas vezes, é um efeito colateral do amor. E às vezes parece que a dor nunca mais vai acabar, que os voos nunca mais serão altos, que o sol nunca mais vai bater no rosto como batia antes. Parece que o relógio vai ficar parado ali para sempre.

O relógio da nossa vida pode até brincar de ficar parado, mas o tempo nunca falha conosco. O tempo que nos angustia é o mesmo tempo que cura. E ele vai passando mesmo que a gente não veja. Ele sangra, esteriliza e cicatriza. E de repente, não mais que de repente, você percebe que algo mudou.

Não tem a ver com esquecer. Esquecer a própria história é um desperdício. Tem a ver com superar. E superar é tornar-se maior.

Não tem a ver com novos amores. Tem a ver com nós mesmos, com olhar para a frente e ver um futuro sem obstáculos, sem fantasmas nem traumas do passado.

A grande delícia mora num momento que vem um pouco depois da música da Anitta e da música do Chico. Quando o passado já ficou realmente para trás e o nosso presente deixa de servir como prova de qualquer coisa. Porque não estar bem simplesmente deixa de ser uma opção viável. E porque já não precisamos provar mais nada a ninguém.

Talvez uma das melhores sensações da vida seja ouvir o barulho das correntes do passado sendo quebradas.

E ver a imagem de um horizonte livre, com espaço de sobra para correr sem pesos inúteis.

E sentir nas mãos as rédeas do próprio destino.

E perceber que, sim, o vento e o sol voltaram a bater no nosso rosto. Era só uma nuvem passageira. O tempo ventou, a vida seguiu. E o futuro não tem mais nada a ver com medo. O futuro já é nosso presente e esse presente já denuncia que vem vindo um futuro lindo.

Quando eu percebi que era você

PERCEBI QUE ERA VOCÊ quando comecei a abrir exceções
Quando quis abrir mão de tantas outras paixões
Quando quis te incluir nos meus próximos verões
Quando cansei de querer proteções, de tentar fazer distinções, de ter medo de projeções.
Percebi que era você quando perdi aquela vergonha
Quando ri com sua baba na minha fronha
Quando a rotina não me pareceu tão medonha
Quando as férias foram boas mesmo sem passagem para Bolonha, Borgonha, Fernando de Noronha.
Percebi que era você quando passei a confiar no destino
Quando pude falar de problemas de intestino
Quando comemorei por você não ser leonino
Quando soube que te amaria de qualquer jeito: girondino ou jacobino e até mesmo argentino.
Percebi que era você quando parei de me sentir paradoxal
Quando não achei mau o seu hálito matinal
Quando fiz piada sobre a situação do meu abdominal
Quando quis assistir com você: *Germinal, Atividade paranormal, Super Xuxa contra Baixo-Astral*.
Percebi que era você quando parei de depender da sorte
Quando um dia me flagrei com medo da sua morte
Quando quis segurar, junto do meu, seu passaporte
Quando nos vi felizes ao som de Pavarotti, de Slipknot, nos refrões do grupo Pixote.

Percebi que era você quando a cama ficou grande demais
Quando vi meu passado ficando para trás
Quando pensei em fugir, mas fui incapaz
Quando não nos comparei com outros casais, quando percebi
meu peito em paz e, ainda assim, queria mais.

Percebi que era você quando vi despertar o melhor de mim
Quando vi que o melhor possível já é assim
Quando pensei em nós e tinha cheiro de jasmim
Quando me dei conta de que quero cultivar nosso jardim, escrever os nossos nomes em mandarim e viver uma história que não tenha medo do fim.

Apaixone-se por alguém que cuide de você numa virose

A GENTE É MESMO muito bobo. Insistimos em inventar um ridículo rol de qualidades infinitas que almejamos na pessoa que escolhemos para compartilhar a vida. Qualidades essas que, na maioria das vezes, nem nós mesmos temos.

Cor do cabelo, posição política, séries favoritas, bairro onde mora, largura do ombro, filmes que já viu, livros que já leu, circunferência do quadril, tonalidade dos dentes. Blá-blá-blá.

Uma lista boba que sabemos que provavelmente nunca será concretizada. Mas, apesar de sabermos que nosso coração deboca dessas exigências, acho que elas não são de todo mal. E, desde que bem selecionadas, podem, de fato, aumentar a probabilidade de um relacionamento feliz.

Além dos requisitos óbvios – não beliscar crianças/ não chutar velhinhos/ não matar pandas/ não votar no Bolsonaro/ não tomar Fanta Uva –, acho válido estabelecer uma ou outra característica como referencial.

E, para mim, há uma característica realmente essencial: essa pessoa precisa estar disposta a cuidar de você numa virose. Sei que não é a situação ideal para se pensar num início de relacionamento, mas a longo prazo isso pode sintetizar uma incrível capacidade de cuidar, de tolerar, de encarar, de amar.

E eu não estou falando de febrinha, 37,5, cof-cof. Estou falando de virose das boas: diarreia, vômito, queda de pressão, 39 de febre, tremedeira, dores abdominais, vexames e papelões. Sério mesmo.

Encontre alguém que olhe para você e perceba que há algo de

errado antes de você correr para o banheiro. Alguém que reconheça que aquele seu silêncio não é só um ar pensativo. Alguém que perceba que você não está na cama de madrugada e vá conferir o que está havendo.

Encontre alguém que ligue a TV num volume alto quando você for para o banheiro com dor de barriga, para você se sentir menos constrangido com eventuais barulhos. E que grite uns "Tudo bem aí?" quando você demorar muito. Alguém que te leve um copo de água gelada depois de te ouvir vomitar e que tente sorrir para te mostrar que está tudo bem.

Encontre alguém que, se não souber o que fazer, dê um Google, ligue para a mãe, procure soluções. Alguém que volte da farmácia com um monte de tralha. Alguém que compre maçã, batata e torrada. Ou ainda, que compre um pé de alface e um mamão-papaia, por mais que seja um baita erro, um erro bruto, mas que tenha sido com a melhor das intenções.

Encontre alguém que deixe o telefone do seu lado para emergências. Alguém que não queira te deixar sozinho nesse estado, mas que, se tiver que sair, fique com a cabeça em você. Alguém que cancele os compromissos do fim de semana, se acomode ao seu lado no sofá, coloque um filme e faça carinhos na sua barriga que ainda faz "blorgh-blorgh-blorgh".

Não procure alguém que te leve flores toda semana, que te dê presentes caros, que tenha um monte de diplomas pendurados na parede ou um cabelo incrível para transmitir para seus filhos. Se vier com isso é bônus, mas esse não é o foco.

Busque alguém que esteja lá por você. Alguém que olhe para você com carinho, ainda que você esteja cadavérico. E que, mesmo no contexto mais desagradável, te arranque um sorriso cansado e te dê a certeza de que tudo vai ficar bem. Alguém que queira te abraçar mesmo quando você estiver inabraçável e que te dê a segurança de que o amor é muito maior do que uma diarreia. O resto a gente ajeita.

Parem de ser mimados e lutem pelos seus relacionamentos

Li em algum lugar que os relacionamentos são como as casas: quando uma lâmpada queima você não muda de casa, você troca a lâmpada. Nunca me esqueci disso. Sobretudo porque às vezes acho que as pessoas não estão tendo saco para trocar lâmpadas nem para cuidar de casa nenhuma.

Claro que não venho aqui com um discurso antiquado e equivocado, dizendo que as pessoas devem aceitar viver em relacionamentos infelizes. Isso nunca. A vida é muito curta. O que venho me perguntando é se as pessoas não estão jogando a toalha cedo demais.

Me pergunto se as pessoas não estão confundindo os relacionamentos da vida real com os dos finais de filmes. Até porque os filmes não se preocupam em nos mostrar que o "felizes para sempre" é uma construção permeada por alguns dias infelizes e não um conto de fadas hipócrita.

Fico pensando: se as pessoas investissem muito dinheiro num negócio, uma pequena empresa, como projeto de vida, quanto elas lutariam por ela? Quantas noites maldormidas elas aceitariam em nome de um projeto no qual apostaram tantas fichas? Quantas chatices, conversas com o contador, prestação de contas, cobranças de clientes? Eu tenho certeza de que quase todos os que conheço aguentariam firme, com coragem, compromisso e foco para concretizar essa meta.

E questiono se essas pessoas investiriam esse mesmo tempo, essa mesma energia, se teriam tanta paciência e compreensão com os momentos difíceis dos relacionamentos que elas decidiram viver. Se elas também pensariam "Isso é um projeto de vida, é algo que estou construindo e que nem sempre vai ser fácil ou divertido". Será que as pessoas cuidariam dos seus amores de forma tão decidida quanto cuidariam do seu patrimônio?

Eu fico assustada. E, acima de tudo, fico triste. Não acho a menor graça em ver meus amigos saindo de casa. Nunca vou olhar com naturalidade para o rompimento, para o velório dos sonhos a dois, para o enterro de tantos planos, de viagens não feitas, de histórias não vividas.

Sim, os problemas aparecerão. As pessoas interessantes aparecerão. A tampa da privada estará levantada. Os sapatos estarão no meio do caminho. A moça do trabalho estará mais arrumada do que a sua mulher na hora que acordou. Mas você não viu a moça do trabalho acordando. E o cara do trabalho não estará de moletom cinza e meia velha no sofá. Porque ele não faz isso no trabalho, só na casa dele. Sabe? É muito fácil – e muito juvenil – cair nessas ciladas.

Uma coisa é constatar, depois de muitas tentativas, depois de diálogo e de uma busca, sedenta e sofrida, por soluções, que o casal não quer mais seguir o mesmo rumo. Que os planos já não harmonizam. Que a música que está tocando já não é a mesma para os dois. É triste, mas pode acontecer e temos a sorte de o século XXI nos dar todo aparato para não sermos escravos de relacionamentos mortos.

Mas vejo que tem muito relacionamento indo para a forca quando poderia ter passado pela enfermaria, pelo pronto-socorro, pela internação, pela UTI. Acho mesmo que tem muita gente que acorda esquisito um belo dia e resolve jogar tudo pro alto – seus sonhos e os sonhos do outro.

Tem muita gente sendo egoísta, se comportando como crianças mimadas que se cansaram de um brinquedo mais antigo porque ele já tem alguma sujeirinha, perdeu alguma peça e porque tem um novinho lá na loja do shopping. Ou porque o brinquedo já precisa trocar a pilha, mas sabe como é, sair, comprar a pilha, abrir o pacote, substituir uma por uma... Dá trabalho demais. Esse brinquedo pode ficar no passado. O consumismo não ficou só nas prateleiras das lojas.

Não é por moralismo. Não é por respeito às instituições. É por respeito ao amor. É por respeito a quem dorme na nossa cama. É porque eu estou achando, cada vez mais, que somos uma porra de uma geração mimada que aceita os desafios da carreira, dos estudos e do dinheiro, mas que não tem saco nem para o primeiro desafio da convivência e que não tem tempo nenhum para "perder" na construção diária do amor.

O que que eu respondo pra ele, amiga? (parte 1)

JU: GENTE. ELE me respondeu.

MARI: Respondeu o quê????

CAROL: CONTAAAAAA

RÊ: conta jáááá

JU: Então, ele perguntou se eu topo ir jantar hoje... Digo que sim?

CAROL: Ele mandou a mensagem há quanto tempo?

JU: 6 minutos.

CAROL: Então espera mais um pouco pra responder.

RÊ: Isso. Espera pelo menos dar 10.

CAROL: 12.

MARI: Manda o print.

(PRINT)

JU: Eu respondo o quê? Que topo?

MARI: Não. Ainda não. Responde perguntando outra coisa.

JU: Outra coisa o quê?

CAROL: Sei lá. Pergunta se ele sabe quanto tá o dólar.

RÊ: HAHAHAHAHA cala a boca Carol

MARI: Pergunta a que horas ele deve sair do trabalho

JU: Tá. Vou responder assim "Oie, acho que sim. Você sai do trabalho mais ou menos que horas?", pode ser?

RÊ: Tira o "acho que sim".

MARI: Tira o "mais ou menos".

CAROL: Tira a calça jeans, bota o fio dentaaaaal

JU: HAHAHAHAHA cala a boca Carol

MARI: Mano, alguém tira a Carol do grupo

JU: Então vou responder assim "Oie, a que horas você sai do trabalho?"

RÊ: "Oie" é péssimo

CAROL: Também acho.

MARI: Sim, manda só "oi"

RÊ: Ou "hello"

CAROL: Ou "e aí viado?"

JU: Obrigada Carol, ótima ideia hahaha

MARI: Manda sem o "oi" mesmo

JU: "A que horas você sai do trabalho". Gente, não tô sendo meio grossa?

RÊ: Tá... Manda "Pode ser, mas a que horas você sai do trabalho?"

JU: Beleza. Vou mandar.

(3 MINUTOS DEPOIS)

JU: Ele respondeu que sai umas oito.

RÊ: Pergunta se pode ser oito e meia.

MARI: Pergunta se pode ser sete e meia.

CAROL: Pergunta se ele gosta de Bruno e Marrone.

JU: Pra que, gente?

RÊ: Pra não parecer tão disponível.

CAROL: Pra saber se ele vai dormir na praça pensando em você.

JU: HAHAHAHAHA cala a boca Carol

MARI: Quem convidou a Carol pro grupo?

JU: Então vou falar que tô livre umas oito e meia, ok?

RÊ: Ok. Manda.

MARI: Beleza, vai contando.

(2 MINUTOS DEPOIS)

JU: Ele disse que me pega às oito e meia. Digo que tudo bem?

MARI: Sim, diz "ok".

RÊ: Sim, diz "beleza".

CAROL: Sim, diz "HOJE TEEEEEM"

JU: hahaha tá bom (não pra resposta da Carol, óbvio)

(1 MINUTO DEPOIS)

JU: Ele mandou um joinha.

MARI: Manda a carinha piscando.

RÊ: Manda a carinha do beijinho.

CAROL: Manda o brinde de cervejas.

JU: Acho que a carinha piscando fica meio "ui" demais, não?

CAROL: Manda uma berinjela.

RÊ: Manda a cara do beijinho, já falei.

JU: O beijinho com coração?

MARI: Não, sem coração

RÊ: Também acho

CAROL: Manda aquela carinha do capeta

JU: Ok, vou mandar o beijinho sem o coração

CAROL: Ninguém liga para o que eu falo

JU: Não mesmo Carol, você só fala merda

RÊ: Mas a gente te ama

MARI: Mesmo que você seja retardada

(7 HORAS DEPOIS)

JU: Gente, ele falou que tá saindo.

MARI: Você tá pronta?

JU: Tô.

MARI: Diz que precisa de mais 5 minutos.

JU: Pra quê?

MARI: Sei lá.

JU: Tá bom.

(14 MINUTOS DEPOIS)

JU: Ele disse que eu já posso descer.

CAROL: DESCEEEE DESCEEEE DESCE GLAMUROSA

JU: Mandei "tô descendo"

CAROL: Que resposta INCRÍVEL ju

JU: hahahahahaha

MARI: Arrasa lá, amiga

RÊ: Boa sorte ju <3

JU: É nóis, amo vocês.

Sorte

TERÇA-FEIRA ACORDAMOS ATRASADOS. Ele tinha reunião com os investidores, eu tinha que resolver urgências do escritório. No entanto, já estabelecemos que a pressa não nos deve subtrair o café da manhã por razões de saúde do corpo, do bolso e do relacionamento. Ele pegou o pão, o queijo e o peito de peru para colocar no tostex. Eu peguei o leite, a banana meio velha e o farelo de aveia para bater no liquidificador. Os sanduíches ficaram prontos, a vitamina de banana cansada também. Peguei os copos, pousei-os ao lado do liquidificador. Peguei o vidro de farelo de aveia para guardar no armário. Ele tirou a tampa do liquidificador e segurou a base para puxá-lo.

Foi então que a terça-feira começou.

A mão que pretendia segurar a base acabou pressionando o botão para ligar o aparelho – que já estava sem tampa. Eu não sei se consigo narrar o que houve.

Voou vitamina de banana até em lugares que eu nem sabia que existiam na nossa cozinha. A parte óbvia foi nas paredes, no armário, no chão, no teto. A parte surpreendente foi a vitamina de banana que entrou na cafeteira, no puxador da máquina de lavar louça, na caixa de Ferrero Rocher, nos buracos vagos de comprimidos da minha cartela de vitamina C. Eu fui salva pela porta do armário que se fez de escudo matinal, já o pijama dele foi perda total.

Eu ri. Ri bastante. Ele não achou muita graça. Sobretudo quando percebemos o cheiro de queimado. O benjamim que ligava o liquidificador, a cafeteira e o tostex à tomada estava coberto de vitamina. Curto-circuito, o plástico branco pretejou. O liquidificador queimou. O fusível caiu, ficamos sem luz. Limpamos a cozinha, nos atrasamos mais e fomos tomar o que restava do café.

Dois copos, cada um com três dedos da vitamina de banana que sobrou e dois sanduíches tostados frios. Sentamos na varanda. Eu ri. Ele riu. Uma abelha entrou no meu copo. Nem tentei discutir com ela. Só pensei na minha sorte.

Sorte por ele existir e sujar tudo. Sorte por limparmos a cozinha juntos. Sorte de achar graça na vitamina voadora de banana cansada. Sorte por acreditar na sorte. Sorte por ver tanto amor naquela manhã errada.

Parece que a alegria bate na porta todas as manhãs. A questão é deixá-la entrar ou não. E entender que às vezes ela entra em forma de boa notícia, de beijo na testa, de raio de sol ou de cozinha imunda. Parece que a sorte é permitir que ela entre e saber reconhecê-la, ainda que pouco óbvia.

Porque eu acredito em nós dois

HOUVE MUITA COISA, ao longo dos meus poucos-tantos anos, em que acreditei com toda a minha fé e em que, com alguma dor, deixei de acreditar. Na generosidade da fada do dente. No sexo feminino da Vovó Mafalda. Na possibilidade de andar nas nuvens. Desilusões, no melhor sentido da palavra. Quem nunca?

E dentre as ilusões e outras peças que a vida nos prega, eu já acreditei naquele amor dos contos de fadas, que tudo vence e que nunca se vê em risco. Já acreditei nos amores divinos, traçados há milênios, verdadeiramente predestinados. Já acreditei em amores blindados, que passam pela vida como um tanque de guerra sem nem perceber ameaças ao redor.

Mas cada uma dessas hipóteses foi caindo pelo meio do caminho. E eu já não sabia muito bem no que acreditar – ou pior, se já não deveria acreditar em mais nada do amor, vivendo de relações superficiais, que apenas fizessem algum sentido a curto prazo. Acreditar em pouco e não naquele tanto que é a fé no amor como base, meta, alicerce e destino.

Mas aí veio você. Veio você falando bobagem, sem pretender ser a razão da minha vida. E vim eu. Vim eu querendo rir, querendo meia dúzia de coisas boas perto de você. Sem querer planejar se acordaríamos juntos pelo resto da vida ou se nem quereríamos dormir lado a lado naquela noite. Era o que era. E era bom assim.

E eu comecei a perceber que isso poderia dar certo. Que isso poderia dar muito certo. Um amor terreno: era isso, apenas. Com mil desafios, mil parafusos para apertar, mil chatices para tolerar, mil dúvidas e só uma certeza: a de acreditar nessa história.

E sabe por que eu acredito em nós dois?

Porque tem dias em que você está chato pra caralho. E eu olho para o seu rosto e penso "Nossa, ele está chato pra caralho". E mesmo assim eu quero ficar ao seu lado no sofá.

Porque tem dias em que eu fico insuportável. Choro, critico, reclamo e acuso. E sei que você pensa que dentre todas as criaturas insuportáveis do mundo, eu sou a única que você suporta suportar.

Porque você puxa a coberta. Eu te chuto de noite. Você ronca. Eu babo. Você fica puto porque meu celular vibra à noite. Eu fico puta porque você coloca o despertador para 15 minutos antes do necessário. E todo dia é para essa cama que a gente quer voltar, *no matter what*.

Porque às vezes você fica preso no trabalho. E eu fico chateada porque queria que você chegasse logo, porque estar com você é a melhor parte do dia e eu não quero que ela seja mais curta. Mas eu entendo.

Porque há fins de semana em que eu preciso trabalhar. E você resolve trabalhar também, na outra ponta da mesa. E uma hora a gente diz que chega por hoje e sai para tomar o ar na noite.

E acredito na gente porque não somos um conto de fadas. Porque eu nunca tive vocação para esperar um príncipe de cabelo jogadinho que chegaria a cavalo. E se eu fosse dessas, você, graças a Deus, nunca teria se interessado por mim. Nos encontramos porque ambos caminharam até aqui e quiseram seguir caminhando juntos.

Acredito em nós dois porque não precisamos acreditar que esse é um amor divinal. Não precisamos ser escravos do destino. Não estamos aqui pela vontade de algum astro ou de algum deus. Estamos aqui por uma única razão: nós queremos estar.

E porque a gente não quer que seja blindado. Não queremos a certeza de que fomos ontem, somos hoje e seremos amanhã. O risco faz parte de tudo o que é de verdade. E disto nós fazemos questão: que seja de verdade. Com fiapos para arrancar e atrasos para tolerar, com arestas para aparar e erros para perdoar. Eu acredito em nós dois porque no meio desse mundão com tanto amor fantástico, incrível e impecável, nós somos apenas um amor de verdade.

Você quer ser amado ou quer ser amado à sua maneira?

CONFESSO QUE NÃO LI o livro *As 5 linguagens do amor*, de Gary Chapman, mas ouvi a respeito e a ideia me parece interessante. Basicamente, o autor afirma que as pessoas manifestam o amor de cinco formas diferentes: através do toque físico, das palavras, dos presentes, dos atos de serviço e do tempo que dispensam ao outro. Algumas pessoas exploram diversas dessas formas; outras, apenas uma ou duas, mas todos o fazem de alguma maneira.

Frequentemente ouvimos as pessoas queixarem-se de falta de amor – sejam aquelas que vivem em relacionamentos estáveis, sejam aquelas que vivem em busca deles. As pessoas reclamam do egoísmo alheio, sentem que apenas elas se doam nas relações (ou nas tentativas de se relacionar) e consideram-se injustiçadas por, teoricamente, darem mais amor do que recebem.

Há algum tempo, assisti à palestra de uma amiga sobre Direito de Família e ela associou as ideias de Gary Chapman aos processos de divórcio, afirmando que algumas vezes as separações acontecem porque as pessoas não são capazes de identificar o amor no comportamento do outro, apesar de ele existir. E muitas vezes a perpetuação desses processos são formas de tentar manter o vínculo com o outro, uma vez que, nesses casos, o afeto perdura.

Realmente é muito difícil tentar entender e sentir como amor atos que não nos parecem amor, frequentemente porque a nossa forma de amar é mais óbvia. Sobretudo para aqueles que, como eu, são os adeptos das palavras e do toque, tão facilmente identificados como expressões de afeto, é difícil entender o amor nos atos mais práticos ou mais subjetivos.

É muito mais fácil acusar o outro por suas supostas falhas do que analisar calmamente os atos, buscando entender o que eles querem verdadeiramente transmitir. É fácil queixar-se por não ser amado quando, na verdade, estamos reclamando por não sermos amados à nossa maneira. E isso vale para todos os nossos relacionamentos: conjugais, familiares, amizades.

Muitas vezes, a personalidade e a história de vida das pessoas trazem certos bloqueios à expressão verbal do amor ou aos beijos e abraços. Uma criação mais fria por parte dos pais, insegurança com o próprio corpo, questões culturais e quiçá astrológicas podem fazer com que alguns amores fiquem camuflados no dia a dia. O que não quer dizer que eles não existam, nem que essas pessoas não façam o melhor que podem.

Isso não significa que nossas formas de amar não devam ser revistas ou repensadas. Parece-me que também é preciso fazer um certo esforço para tentar dar um pouco do que os outros esperam. Ao mesmo tempo, é preciso não esperar exclusivamente um amor que seja o reflexo do nosso.

Um "Eu te amo" reside em muitas frases diferentes. Em "Comprei essa bolacha que eu sei que você gosta", em "Deixa que eu te ajudo com a declaração de imposto de renda", em "Vem aqui que você precisa cortar a unha", em "Eu te busco no aeroporto", em "Apaga essa merda desse cigarro", em "Pega um casaco que tá frio lá fora", em "Você tem dinheiro pro táxi?". Algumas vezes o "Eu te amo" sai em forma de "Eu te amo". Tantas outras não. Mas ele está lá. Basta estar disposto a encontrá-lo em vez de reclamar a sua suposta ausência.

Oi, ex, como vai?

Oi, EX,
hoje não venho com palavras de ódio, nem te culpar por nenhum episódio, tampouco me colocar em cima de um pódio.

Sim, houve um tempo. Tempo em que desejei cascas de banana na sua calçada, um bicho gordo na sua goiaba, 28 pedágios na sua estrada.

Também não vim te acusar, nem te mandar se lascar, muito menos te pedir pra voltar.

A mágoa foi inevitável, mas se a história é imutável, talvez tenhamos que pensar num caminho alternativo viável.

Vim perguntar se você está bem, se continua tendo sonhos do além, se contou dos seus medos para mais alguém.

Se seu pai largou o cigarro, se você conseguiu trocar de carro, se houve algo entre a gente que não tenha ficado claro.

Vim dizer que me lembrei de você. Porque finalmente comi cordeiro, porque ri conversando com meu porteiro, porque nosso verão foram anos inteiros.

Vim com bandeira branca, sem qualquer indício de cobrança, apenas me divertindo com algumas lembranças.

Vim te contar que encontrei aquela nossa conhecida, a que foi morar em Aparecida, e que ela tá com a bunda supercaída.

Vim contar que vi seu colega de trabalho, que ele tá meio grisalho, mas que ainda dá pra quebrar algum galho.

Vim falar de coisas que ninguém mais entenderia, que achei as fotos daquela viagem para a Bahia e que finalmente tem açaí aqui na minha padaria.

Não vim criticar sua nova paquera, nem retomar aquele clima de guerra, nem dizer qualquer coisa que não seja sincera.

Vim te dizer que está tudo ok, que eu tive uma doença, mas sarei, e que aquele meu vizinho, de fato, é gay.

Não vim te propor uma bela amizade, um sorvete no fim da tarde, nem um fim de história marcado por vaidade.

Vim pra te desejar alguma sorte, vim porque já voltei a ser forte e porque sei que memória não respeita pena de morte.

Vim te deixar um abraço, porque te querer bem é o melhor que eu faço e porque, afinal, já chega desse cansaço.

Vim te dizer para ficar em paz, para respeitarmos o que deixamos para trás e para propor, enfim, que a gente não se queira mal, apenas não se queira mais.

P.S.: Texto escrito em um raro momento de serenidade. No meu livro *Pega lá uma chave de fenda – e outras divagações sobre o amor*, é possível encontrar "Oi, ex, como vai? (Versão B)", razoavelmente mais humana e deliciosamente mais sangrenta.

O que que eu respondo pra ele, amiga? (parte 2)

(Voltando do jantar)

JU: FERROU. APAIXONEI.

MARI: Ai Deus.

CAROL: Ele te levou pra comer aquela coxinha de 1kg?! Assim eu apaixono também.

RÊ: Conta TUDO juliana.

JU: Ai gente. Ele parece de mentira. Supereducado, engraçado, bonito, gentil, inteligente. Tô na merda.

CAROL: Onde vocês foram?

JU: Num restaurante italiano pequenininho, de uma velhinha fofa, ali na Vila Madalena. Eu não conhecia, uma delícia.

CAROL: Você comeu lasanha?

RÊ: Tomaram vinho?

MARI: Ele tinha reservado mesa?

CAROL: Tinha aqueles rolinhos de nutella? Tão bom aquilo.

JU: Ai chegou mensagem dele Jesus Cristo.

(PRINT: "Cheguei em casa, Ju. Mas não estava com vontade de ir embora não. Durma bem, linda. Obrigado pela companhia.")

JU: GENTE. MUITO FOFO.

MARI: Fofo, mas meio profissa, não?

JU: Como assim?

MARI: Desses caras que sempre sabem o que falar...

RÊ: Mari, não vem estragar, deixa ela curtir, o cara parece ser legal.

MARI: Gente, a Juliana se apaixona em 15 minutos, ela é pisciana, a gente tem que segurar a onda dela haha.

JU: APAIXONO MESMOOOO. Já até pensei no vestido hahahaha.

MARI: Olha lá, tô falando.

CAROL: Ju, pode ter lasanha no seu casamento?

RÊ: HAHAHAHAHAHAHA

JU: Hahahaha pode Carol, tudo por você.

MARI: Agora sério, que que você vai responder?

CAROL: Responde que vai sonhar com a lasanha.

JU: Pensei em responder assim "Que bom :) Posso ir separando a papelada do casamento?", pode ser?

RÊ: HAHAHAHAHA MORTA

CAROL: ASSIM QUE EU GOSTO JU, CHEGANDO JUNTO HAHAHAHA

MARI: PAREM DE INCENTIVAR ESSA IMBECIL

JU: hahahahaha calma Mari

MARI: ELA É PEIXES COM LUA EM CÂNCER E ASCENDENTE EM PEIXES, A GENTE TEM QUE AJUDAR A JULIANA

RÊ: Fato. E você é Virgem com lua em Capricórnio né Mari? Não precisa de ajuda nenhuma na neurose e no iceberg hahahaha

CAROL: Eu sou de lasanha com lua em raça negra e ascendente em jurupinga

JU: Falando sério, vou responder "Que bom! Eu também adorei... Vamos nos falando. Durma bem! Beijo"

RÊ: Hum... E se você trocasse "vamos nos falando" por "nos falamos amanhã"?

MARI: Acho que assim tá bom...

JU: Vou mandar assim mesmo.

(3 MINUTOS DEPOIS)

JU: Ele mandou a carinha piscando.

RÊ: Bonitinho.

MARI: Sim, fofo.

CAROL: Manda a noivinha.

MARI: CAROL, NÃO CAUSA

CAROL: Mariana, sossega a periquita aí, deixa a menina viveeeer, deixa a menina ser felizzzzzz

JU: Hahahaha relaxa Mari, não vou mandar... Ainda. Hahahaha.

MARI: Desisto de vocês todas.

RÊ: Haha. A gente te ama, mesmo que você seja noia, Mari.

CAROL: Marianeura linda

JU: Mandei a carinha do beijinho com coração

(2 MINUTOS DEPOIS)

JU: Gente. O Guilherme precisava saber que eu tô saindo com esse cara gato lindo gracinha delícia meu futuro marido, né?

MARI: Era bom mesmo...

RÊ: Gente, Guilherme é passado.

CAROL: Por favooooor, para o carro na frente do prédio daquele demônio e dá uns beijo no paquera novo!!

MARI: hahaha ai senhor

CAROL: Eu fico com meu carro atrás com o Safadão no último volume EU NÃO TÔ NADA BEM, VI MINHA EX BEIJANDO OUTRO DENTRO DO CAAAARRROOOOO

JU: hahahahahaha QUEROOOO

MARI: Primeira boa ideia da Carol em 2017 hahahahahaha

CAROL: A CULPA É SUAAAA SE EU TÔ AQUI DEITADO NO MEIO DA RUUUUUAAAAA ME DEIXA AQUI SOFRENDO EU NÃO QUERO AJUUUDAAAAAAA

RÊ: Hahahahahaha tá bom vai #choraguizão

(FOTO FEIA, MUITO FEIA, DO GUIZÃO)

JU: Pensando bem, nem preciso que ele saiba de nada. É passado mesmo.

RÊ: Boa, amiga, vai ser feliz :)

MARI: Justo, melhor assim.

CAROL: Ok. Mas eu vou tocar o Safadão na porta dele mesmo assim.

JU: Hahahaha tá bom

MARI: Vamos trabalhar mulherada?

RÊ: Bora. Tenho uma edição para fechar à tarde...

JU: E eu vou entrar em cirurgia já já.

MARI: E eu tenho uma turma de sexto ano me esperando para dar aula sobre Império Romano... E uma tese de doutorado me aguardando à noite.

CAROL: E eu entro em audiência daqui a meia hora.

JU: Eu nunca vou me acostumar com o fato de a Carol ser juíza.

RÊ: Primeiro lugar do concurso.

MARI: Só erraram no psicotécnico hahahaha

JU: Hahahaha te amo Carol. Amo vcs tudo.

RÊ: Eu também, orgulhinhos.

CAROL: Também amo vocês, jurisdicionadas.

MARI: Eu também. Beijocas.

Amor, vamos à academia?

S EGUNDA-FEIRA, FIM DO dia. Mando um WhastApp para ele. "Amor, vamos à academia hoje à noite?" Por dentro, eu rezo para que ele diga que não. Mensagem visualizada. Digitando. Online. Digitando. Digitando. "Vamos ver que horas eu consigo sair daqui." Ok. Oremos.

À noite, nos encontramos em casa. Evitamos o assunto. Falamos sobre trabalho, contamos piadas, comentamos que o encanador não retornou a ligação. Falamos sobre sonhos, sobre vida após a morte, sobre a nova música da Ludmilla. Academia nada. Passam alguns minutos, ele entra no banho. Sai. Coloca o pijama. Graças a Deus. Não vamos.

Na terça eu saio apressada.

Lembro, com alguma angústia e algum alívio, que à noite temos um jantar qualquer, mas que está marcado para as 20h, logo, não poderemos ir à academia, senão chegaremos absolutamente atrasados. Que pena, que pena mesmo. Eu queria tanto fazer leg press.

Na quarta-feira é ele quem diz pela manhã:

"Viu? Vamos ver se a gente vai à academia à noite." Tá. Vamos ver o que que rola. Fim do dia, eu proponho "E se a gente colocar o tênis e for dar uma volta na rua?" Boa. Ele topa. Saímos. Quatro quadras depois estamos tomando um açaí. Seguimos a caminhada e acabamos a noite dez minutos depois, naquele japa delícia que abriu mês passado.

Quinta-feira acontece mais uma tentativa.

Como já estamos cansados, proponho "Vamos à academia

amanhã cedinho?". Ele diz que pode ser. Na hora de deitar ninguém coloca o despertador para 6h da manhã. Presumimos ambos que o outro deve ter colocado. Acordamos às 8h15, ninguém fala no tema. É quase um tabu.

Já é sexta-feira e nós não fomos à academia nenhuma vez.

Não podemos continuar assim. É uma questão de saúde, é uma questão de bom senso. Já não temos idade para isso. Mas tudo bem, ainda temos o fim de semana para resolver esse assunto. Quer dizer, esse não, porque vamos viajar. E os nossos tênis não cabem na mala. E hoje não dá porque academia sexta à noite não pode ser, academia sexta à noite é sacanagem. Sexta à noite é dia de cervejinha. E assim vamos nós, abraçados, ladeira abaixo.

Madrasternidade

EU AINDA NÃO SEI o que é sentir o amor por um filho. Mas sei que nós, os sem filhos, passamos aos olhos alheios por "os grandes ignorantes do amor" enquanto não somos pais – o que não me parece nada justo, pois amor de verdade não se mede em escala. Não sei o que é amar como mãe, mas nos últimos anos venho aprendendo a amar como madrasta. Posso não conhecer o sabor do sorvete de chocolate, mas amo o sorvete de baunilha com todas as minhas forças.

Na semana passada, a pequenina-já-não-tão-pequenina-assim completou seus 7 anos e, no fim de semana, um incidente absolutamente banal me fez entender uma coisa muito grandiosa. É engraçado como parece que a vida tem uma certa mania de fazer isto – nos ensinar coisas grandes através de coisas pequenas –, o problema é que a gente frequentemente não percebe.

Sempre gostei de comprar roupas sozinha, sem ouvir opinião ou avaliação alheia – e vai ver que é por isso que eu erro nas compras com frequência. Mas naquele domingo eu precisava comprar um maiô e a miúda estava comigo. Entramos na loja: madrasta, enteada, embalagem descartável com a metade do prato do almoço que ela queria levar no dia seguinte para a escola, bolsa pesada com carteira, chave, documentos, maquiagem e meia dúzia de brinquedos, garrafa de água, filtro solar e chapéu para encarar o verão, sacolas de compras pregressas.

Ela opinava no que eu devia e no que não devia provar. Acatei algumas ordens, como o maiô branco bordado com dourado, e desobedeci a outras com jeitinho, como o maiô listrado com aplicação de uma melancia de paetê. Entramos no provador e o espaço era mínimo. Eu mal cabia sozinha. Mas éramos nós duas, acrescidas da bagagem que se leva nos ombros quando se anda com uma criança. A cada maiô que eu provava, fazia um contorcionismo elaborado para não bater o joelho na Francisca nem o cotovelo na marmita.

Para ser sincera, há poucas coisas no mundo que eu deteste tanto quanto comprar roupas de banho. Mas dessa vez foi diferente. Ela decidiu dar notas de o a 10. E enquanto eu me sentia absolutamente ridícula dentro da maioria dos modelos, ela não deu nenhuma nota inferior a 8. Era sempre 8 ou 9, independentemente de estar uma grande porcaria. Quando experimentei o último, os olhinhos dela brilharam e ela disse "É esse, Ru, esse é o 10". Sorri e não tive dúvidas em obedecer à sabedoria dos 7 anos recém-celebrados.

Foram os 15 minutos mais desconfortáveis dentro de um provador que eu já vivi. A falta de espaço, o cheiro do bacon da carbonara que fugia pela embalagem plástica, as sacolas penduradas uma em cima da outra, a luz branca que evidenciava toda celulite. Mas foram, sim, os melhores 15 minutos que eu já vivi dentro de um provador, apesar de todo o desconforto.

Foi então que eu me dei conta de que o amor deve mesmo ser isto: preferir a presença de quem se ama, mesmo quando ela te subtrai parte do conforto, parte da liberdade e parte do direito de escolha. O amor é uma balança óbvia: a vontade de estar ao lado de alguém sempre vence as pequenas perdas que a convivência traz.

Já não tenho minhas noites de sexta-feira, minhas tardes de domingo, nem minhas manhãs de quinta-feira como já tive: todas para mim, aguardando meus planos. Hoje, assisto a desenho, ajudo na lição de casa, dou banho, busco na escola. E quando me dou conta, percebo que as supostas pequenas perdas, na verdade, tornaram-se grandes ganhos.

Assim, me dei conta de que naquele domingo eu não queria estar sozinha. Não queria ter escolhido sem opinião alheia. Não queria gastar alguns euros a menos. Sinceramente, não sei se o maiô é bonito, nem sei se vale quanto paguei. Mas, sim, aquele, sem sombra de dúvida, é o melhor maiô que eu já tive.

Obrigada, miúda, você é mesmo meu melhor sorvete de baunilha.

Ainda precisamos fazer tanta coisa juntos

N ÃO É POR CAUSA DE amarras, de juras, muito menos de cadeados. Não é porque eu precise acreditar que é eterno ou que a gente tenha que ser passado, presente e futuro incondicional. Não. Eu quero você por muito tempo, mas não por esse lance de "pra sempre". Isso não tem a minha cara, já li mais Bauman do que contos de fadas. Duração imposta por promessas de amor eterno não me soa como caminho feliz, mas como uma chegada obrigatória num lugar completamente sem sentido.

Quando penso na gente, o que eu quero é mais tempo. Horas que durem mais, noites que não acabem, manhãs que não sejam interrompidas pela hora do almoço, primaveras que demorem para virar verão, verão que não veja folhas antecipadas de outono.

Quero mais tempo porque ainda preciso fazer muita coisa com você.

Sim, a gente já caminhou bastante. Já correu para não perder o ônibus, para não perder o voo, para não se perder de vista. Já descobriu o restaurante da rua de trás, o brinquedo do Kinder Ovo, uma ou outra mentira, tudo bem. Já tomou uns porres, café da manhã na padaria, tomou coragem pra dizer tanta coisa.

Mas ainda falta... Falta muito. Falta tanto.

Ainda falta a gente achar uma árvore de pitanga bem carregada e competir quem cospe o caroço mais longe.

Também falta o pé de amora, pra manchar a sola do sapato e virar história.

Falta te mostrar aquele lugarzinho da minha infância para o qual provavelmente você nem vai ligar muito, mas eu quero mostrar mesmo assim.

Falta estar passeando numa tarde quente e cair um pé-d'água para a gente tomar banho de chuva enquanto um músico de rua toca Lenine debaixo de um toldo verde.

Falta pegar tatu-bola pretinho de jardim e dar peteleco pra ficar redondo.

Falta a gente entender bastante de vinho (ou pelo menos conseguir fingir melhor que entende) e juntar dinheiro para desbravar vinícolas ensolaradas que nem nos filmes.

Falta você fazer aquela carne de porco que cozinha 14 horas que você sempre diz que vai fazer, mas no fim só sai ovo mexido.

Falta um monte de temporadas de um monte de séries.

Falta descer gramado sentado em caixa de papelão.

Falta a gente comprar o mesmo livro, ler na beira da piscina tomando um drink mais bonito do que gostoso e, no fim, discutir impressões não muito profundas sobre o enredo.

Falta você aceitar a ideia de que eu canto muito bem, você que ainda não soube ouvir com bastante atenção.

Falta o frango com molho de cerveja da minha avó.

Falta você me flagrar dormindo numa tarde de domingo, enquanto um último feixe de sol ilumina meu rosto e o vizinho de cima colocar Stevie Wonder para cantar e te fazer, em silêncio, encostado no batente da porta, me achar tão *lovely*, tão *wonderful*, tão *precious*.

Talvez ainda falte um juiz de paz, um bom marceneiro, um fiador, um obstetra, um empréstimo do banco. Não sei, esses últimos são hipóteses. Todo o resto é certeza. Principalmente o tatu-bola e o feixe de sol.

Eu quero você por muito tempo, por um milhão de momentos, por dias e mais dias. Talvez isso seja menos que pra sempre. Ou talvez seja bem mais. Mas é a certeza que posso te dar: eu quero que você fique.

Vê se fica, tá?

Fica porque ainda falta muita coisa.

Chegar em casa e te encontrar

H á DIAS DE exaustão. Dias de descrença, nos quais o mundo parece estar invertido e recheado de tarefas ingratas. Há dias em que tudo dá errado, o molho respinga na camisa e a tabela de senhas do banco simplesmente desaparece. Há dias em que tudo o que vemos são pendências, projetos inacabados, ideias que não evoluem, ciclos que não se fecham. Dias em que a única coisa que parece existir é a nossa certeza sobre a ausência de sentido disso tudo.

Nesses dias, o trajeto para casa parece mais longo, o trânsito parece pior do que o habitual e, a princípio, não nos parece que chegar em casa seja solução para nada daquilo. Caminhamos com algum cansaço, procuramos as chaves com alguma dificuldade e, por fim, abrimos a porta.

E então as coisas mudam ligeiramente. Porque tem amor lá dentro. Tem alguém te esperando, às vezes com uma panela no fogo, às vezes com o rosto atrás da tela do computador, esmagado por prazos, às vezes jogado no sofá, sem maiores preocupações. Independentemente de como, tem alguém te esperando. E isso já é muita coisa.

Chegar em casa e te encontrar é a certeza de ter amparo. De poder falar mal do cliente, mal do chefe, mal do mundo e lavar a alma. É poder dividir angústias e frustrações e ir se sentindo rapidamente curado. É saber que não há encrenca cotidiana que resista a um abraço longo e a uma hora de conversa no sofá.

Há dias bons. Dias em que as coisas funcionam, em que os prazos são cumpridos e tudo parece harmônico. Dias em que o prato vem rápido e quentinho no almoço e não tem fila nenhuma no banheiro. Dias em que as pessoas são gentis e os semáforos parecem estar todos abertos. Nesses dias o caminho para casa tem música e a chave está no lugar mais evidente possível. E então abrimos a porta. E tem alguém lá. Alguém com quem você pode dividir tudo o que deu certo, comemorar pequenas vitórias, brindar em dia de semana. Nesses dias dá até vontade de cozinhar, de descongelar aquele peito de frango, de preparar um molho qualquer com bastante creme de leite. E é bom ter alguém lá para experimentar sua receita errada. Há dias em que os dois tiveram um bom dia. Outros em que um é consolo e outro é drama. Há dias em que ninguém está lá grande coisa. Mas, seja como for, é sempre melhor que seja junto. É sempre melhor abrir a porta e te encontrar. É sempre melhor estar em casa e te ouvir colocar a chave na fechadura. É sempre melhor ter seu ombro, seus ouvidos e seus olhos. E ser um ombro, dois ouvidos e dois olhos para você.

É melhor quando você está. É muito melhor quando você está.

A odisseia de dormir junto

DORMIR JUNTO. DEFINITIVAMENTE a melhor e a pior ideia que o ser humano já teve.

Melhor porque é um dos momentos de maior comunhão da vida. Há quem diga que dormir junto com alguém é um ato mais íntimo do que o próprio sexo. Eu não duvido. Partilhar nossas sagradas e escassas horas de sono com alguém é mesmo um ato de entrega, da mais profunda e sincera generosidade.

Por outro lado... Sério. Gente. Que ideia. Sério. Difícil. Muito difícil.

Tudo começa com o horário de ir deitar.

Às vezes um acaba cedendo ao sono do outro, por mais que esteja absolutamente disposto, animado e – o pior de tudo – falante. Deitam na cama. Um se ajeita no travesseiro, se cobre e fecha deliciosamente os olhos. Mas aí vem o Sem Sono e diz algo urgente do tipo "Você viu que vai abrir um restaurante de comida indiana perto da casa da sua tia?". O Com Sono tenta uma resposta do tipo "Ah é? Legal...", enquanto se afunda um pouco mais no travesseiro. E o Sem Sono insiste "É, mas não sei se vai dar certo não, porque os últimos dois restaurantes indianos que eu conheço acabaram fechando e...". Pronto, tá na cara que não vai acabar bem. O Sem Sono acaba sem respostas, o Com Sono sem poder dormir.

Mas, por fim, o Sem Sono para de falar e decide se ajeitar na cama. Um já está lá, paradinho, cochilando, e o outro começa a procurar posição. Gira pra lá, gira pra cá, dá pirueta, parece um frango de padaria. Conforme ele gira, o que já cochila vai pulando por causa do balanço do colchão, quase como se estivessem numa cama elástica.

Mas pronto. Adormecem. Que bom. Até que um dos dois dá um daqueles bizarros tremeliques semiepiléticos e o outro quase enfarta de susto. Tudo bem. Passou. Dormem de novo.

De repente um deles acorda assustado com um barulho. Não sabe bem se é uma broca no vizinho, um leitão na varanda, um trator na rua ou o Godzilla na janela. Mas não é nada disso. É só aquela pessoinha amada tentando respirar. Inacreditável. A cada ronco até a estrutura do prédio treme. Uns 6,8 na escala Richter. E é geralmente nessa hora que elas resolvem extravasar todo o seu lado afetuoso, abraçando a outra pessoa bem pertinho só para roncar carinhosamente bem na orelha dela.

Superada (ou tolerada) essa dificuldade, começam os problemas de termostato. Enquanto um transpira como se estivesse fazendo sauna no inferno, o outro puxa o edredom até o pescoço. E claro, o edredom é um só e acaba cobrindo também aquele coitado que está morrendo de calor, que acaba tentando escapulir uma perna e um braço para fora da cama. Nessas horas, ar-condicionado e ventilador causam mais discórdia do que WhatsApp de ex. E nas raríssimas vezes em que há harmonia de temperaturas, começa um tipo de cabo de guerra com a roupa de cama. Só sobrevivem os fortes.

Ainda tem aquelas maravilhas periféricas tipo um que baba no braço do outro, um que range o dente sem parar, um que solta frases nonsense durante a noite, um que levanta cinco vezes para fazer xixi, um que vai avançando no terreno alheio até quase jogar o outro no chão, o outro que bebe seis litros de água durante a noite. Enfim, essas alegrias todas.

Mas os abraços noturnos compensam tudo. Especialmente quando um coloca o braço embaixo da orelha do outro, que começa a ficar quente e vermelha enquanto o braço formiga até o cotovelo travar de dor. No verão então, é uma maravilha. Você mal aguenta o contato com o lençol e recebe aqueles doces abraços de uma criatura cujo corpo está a 36 graus. Meu Jesus.

Para acordar, nada melhor do que um ter programado o despertador e na hora que toca ninguém saber o que está acontecendo. É o seu? É o meu? É a campainha? Até que um bate naquela porcaria e... Coloca na soneca. Dez minutos depois a porcaria toca de novo. E mais dez. E toca. Mais dez. Toca. Detalhe: são 6h40, sendo que o dono do despertador devia ter levantado às 6h e o outro coitado que já acordou quatro vezes só precisava levantar às 9h.

Não é fácil.

Mas quando acaba toda essa saga, você olha para aquela pessoa na cama e acaba sorrindo. Não sabe bem por quê, mas tem certeza de que aquilo tudo faz sentido: roncos, babas, tremeliques e tudo mais. Não tem jeito, aquela noite atrapalhada é mesmo boa. E por mais confortável que seja uma noite com a cama toda ao nosso dispor, sem disputas por espaço ou por lençol, fica faltando alguma coisa. Uma cama gostosa, inteira e cheia de travesseiros acaba se tornando uma cama vazia.

Coisas que só o amor explica.

Sim, eu aceito

NUNCA FUI MUITO fã de contos de fadas nem de histórias de princesas. Meus desenhos favoritos – tão pouco previsíveis – eram os do Mogli e do Tintim. Aos 15, comecei a implicar com as comédias românticas, dizendo que eram todas histórias impossíveis, que nunca aconteceriam na minha vida. Sempre acreditei no amor, mas não nas histórias de cinema. Filha de virginiana germânica, aprendi a acreditar no pé no chão e no afeto. Mas parece que a vida quis me reservar algo diferente.

São Paulo, junho de 2013: foi quando ele me viu pela primeira vez. Viajou 8.000km para estar naquele casamento, mas eu nem o vi. Seis meses depois, fomos apresentados em Lisboa. Eu disse "Muito prazer" e ele respondeu "Tu não te lembras de mim, mas eu não esqueci de ti". Frio na barriga. Conversamos a noite toda. Não contava com a ideia de me interessar por um homem separado, pai de uma filha de 3 anos. Os olhos dele brilhavam ao falar da menina e os meus brilhavam ao olhar para os dele. Mas soaram as 12 badaladas e eu tive que ir embora. Nunca gostei da Cinderela.

Segui para Coimbra com um nó na garganta, sabendo que havia deixado pontas soltas naquela história. Quando ele decidiu ir atrás de mim, eu já estava a caminho de Paris. Algumas horas depois, ele bateu na porta do meu quarto de hotel no Boulevard du Montparnasse, como nas melhores histórias de cinema. Nos despedimos com duas garrafas de vinho na cabeça e alguma angústia. Ele voltou para Portugal, eu voltei para o Brasil.

Achei que o romance acabava ali. Já era uma boa história para contar. Mas pouco tempo depois ele apareceu em São Paulo. Tive a esperança de conseguir parar o tempo naqueles dias. Ele embarcou de volta e eu tentei engolir o choro. Não consegui nem parar o tempo, nem engolir o choro. Tempos depois, decidi estudar em Roma. Arranjei uma escala em Lisboa. Desembarquei, abracei-o e disse que não queria me despedir dele. Ele disse que eu não precisaria me despedir e embarcou para Roma comigo. Dias depois, ele teve que ir à França e eu à República Tcheca. Realmente, aquela não era uma história fácil. Depois disso, houve mais do que saudade. Houve medo. Tentamos desistir de tudo, mas logo percebemos que já não havia volta.

Nos encontramos, então, no meio do oceano. Ilha de São Miguel dos Açores, Lagoa das Sete Cidades. A partir dali, eu decidi que não podia mais fugir. Meses depois, desembarquei em Lisboa com duas malas grandes e bastante medo. Começamos a namorar em Milão. Me apaixonei pela filha dele e ela por mim. Tempos depois tive que voltar para o Brasil. A vida e o trabalho não perdoam. Nos despedimos com lágrimas em Madri, sem saber o que esperar. Ele foi me ver em São Paulo de novo. Foi embora e eu fiz as malas outra vez. Decidimos viver juntos. Brigamos na Ilha da Madeira. Resolvemos. Brigamos em Londres. Resolvemos. Percebemos que nem as diferenças nem as distâncias eram mais fortes do que a vontade de estarmos juntos.

Agora, depois de mais de três anos no meio desse furacão geográfico, dei a ele de presente uma máquina de fazer espaguete. Talvez eu não seja muito boa com presentes. Mas ele tirou do bolso uma caixinha preta de veludo. Abriu-a, reluzente, e disse que se percorremos tantas distâncias e se fomos tão pacientes e tão resistentes, tinha certeza de que era a coisa certa a fazer.

Sim, é claro que eu quero, portuga. Na alegria e na tristeza, na saúde e na doença, nas chegadas e nas partidas, no hemisfério sul e no hemisfério norte. Impossível seria não querer. Impossível seria não me apaixonar por você nem pela nossa história. Que venham muitos anos, muitas malas pesadas e muitos cartões de embarque. Obrigada por nunca termos desistido.

O estranho mundo das festas de casamento

EU VOU CASAR este ano. Vamos casar porque nós dois queremos e vamos fazer festa porque nós dois queremos. Ambos embarcaram nessa porque quiseram. Mas confesso, nesses primeiros meses, ter descoberto que sou uma espécie de antinoiva. Na verdade, me descobri uma antinoiva no que tange a estar dentro dos padrões que o mercado das festas de casamento nos impõe.

Explico-me: num dado momento ouvi a fatídica pergunta "As toalhas serão brancas, off-white, marfim ou pérola?". Branco. Off--white. Marfim. Pérola. Eu nem sabia que off-white era uma cor. Foi aí que eu senti meu estômago revirar e suspirei, me perguntando se eu iria aguentar esse trajeto até o fim.

Começaram debates estranhos sobre o tipo de papel utilizado no convite, sobre a altura do vaso que vai no centro da mesa ou sobre a cor da forminha na qual repousarão os doces. Eu esfrego meus olhos de forma irritada, pensando nos prazos que tenho que terminar no escritório.

Outro dia alguém me perguntou se eu iria padronizar os vestidos das madrinhas. Eu nem entendi a pergunta. Insistiram, perguntando se eu não iria definir a cor dos vestidos das madrinhas. Eu caí na gargalhada, disse que não consigo nem decidir o meu, muito menos pensar nos vestidos das madrinhas. Fiquei me imaginando gritando para as madrinhas "VOCÊ VAI DE VERDE, HELENA, NÃO QUERO NEM SABER SE VOCÊ GOSTA, É VERDE E PRONTO". Gente, é sério que isso existe?

Eu e o noivo gostamos de pensar em ideias maravilhosas,

regadas a vinho, como colocar baratas de plástico dentro dos convites para assustar as pessoas ou denominar mesas com características físicas, como "mesa dos carecas", "mesa dos barrigudos" ou "mesa dos estrábicos". Sem dúvidas produziríamos festas de aniversário de 7 anos melhor do que estamos produzindo um casamento.

Nossa sorte foi ter encontrado um assessor tão louco quanto nós, que embarca um pouco nas nossas ideias inúteis, mas limita-as cordialmente. Se nos deixassem, o casamento se tornaria facilmente algo semelhante a um circo. Duas ou três vezes fui dizer "no nosso casamento" e disse "no nosso carnaval" por engano. Mas não sei se a ideia é tão equivocada assim.

Sei que é muito fácil embarcar no padrão tradicional de cerimônia, jantar, sequência de músicas e arremesso do buquê. E que nos tratam quase como insanos se tentamos fazer algo que tenha mais a ver com os noivos, fugindo um pouco dessas regras supostamente intransponíveis envolvendo o corte do bolo, o brinde com espumante e as fotos posadas.

Nós seguimos firmes, remando contra a maré. E seguimos, acima de tudo, negando a hipótese de nos tornarmos figuras surtadas, que ficam histéricas por causa de uma alteração na caligrafia no convite ou por causa de um canapé de salmão que não saiu como esperado.

Às vezes me parece que as pessoas esquecem que uma festa de casamento deve ser uma fonte de alegria, de integração das famílias e de infinitas razões para comemorar. Transformaram os casamentos em eventos megalômanos que são pura fonte de estresse durante meses, para gerar 150 belas fotos de suposta felicidade numa única noite.

Não quero embarcar nisso, não. Pode ser branco, off-white, pérola, marfim, verde-bandeira ou vermelho-sangue, desde que não vire objeto de tensão. Pode ir de vestido amarelo, xadrez ou roxo de bolinhas, desde que esteja contente e feliz pelos

noivos. Pode ter canapé de salmão, sopa de cebola ou cachorro-
-quente. Essa noite serve para celebrar o amor, e não para provar
nada para ninguém.

P.S.: Casei sendo essa "péssima noiva", impaciente com todos esses penduricalhos. E deu tudo MUITO certo. A gente
realmente não precisa se render à indústria da paranoia.

Agradecimentos

À MINHA FAMÍLIA – irmãos, cunhados, avó, tios, primos, sogros – por nunca desistirem das minhas letrinhas. Por continuarem, pacientemente, lendo, opinando, sugerindo. Não teria graça sem vocês.

Ao meu Filipe, por ouvir cada ideia, por sempre me dizer para ir em frente, para continuar, para me impor, para ousar, para ter certeza de que vai dar tudo certo. Você é o companheiro mais fantástico desse mundo.

À Francisca, minha miúda amada, que me ajuda a encher nossa casa de livros, que divide esse amor – e tantos outros – comigo. Por me perguntar constantemente "Oh, Ru, quando é que escreves um livro para crianças?".

À Rita, à Luísa e ao Olivier, pequenos mesmo grandes, grandes mesmo pequenos. Por serem pura luz no peito dessa tia babada.

À Luiza, porque sem ela não haveria livro. Nem haveria nosso fantástico escritório. Nem haveria companhia nas manhãs frias, nas tardes de verão, nas noites de trabalho. Porque sem ela não haveria uma Lisboa tão bonita.

À Tia Rê, por acreditar no meu trabalho e se orgulhar dele até mais do que eu mesma.

Ao Fabiano e ao Lucas. Porque amigos fazem isto: tiram "delicadamente" do caminho quem estiver servindo de obstáculo à felicidade de quem se ama.

Aos amigos, como um todo. As vitórias só têm graça porque são partilhadas com vocês.

Ao Zé Couto Nogueira, ao Gregorio, ao Mario Prata e ao Bovo. Um "obrigada" do fundo do peito.

Ao Ignácio de Loyola Brandão, por sua generosidade, pelo seu tempo e por cada uma das suas palavras. Por ter mudado os rumos da minha escrita, tranquilizado meu coração e triplicado a minha coragem.

Ao Karnal, pela amizade inesperada, por seu bom humor, seu conhecimento compartilhado e seu sorriso largo.

À Nana, por acreditar em mim, por trabalhar tão bem, por fazer com que eu me sinta tão segura a ponto de poder simplesmente escrever.

À Alessandra e à Amanda, por dedicarem suas horas e seus olhares atentos a este livrinho.

À Virginie, por cuidar dessas histórias com tanto carinho.

A toda a equipe da Sextante, por me receber tão bem, por se envolver neste projeto e por me dar uma vontade danada de continuar por aqui.

Para saber mais sobre os títulos e autores
da Editora Sextante, visite o nosso site.
Além de informações sobre os próximos lançamentos,
você terá acesso a conteúdos exclusivos
e poderá participar de promoções e sorteios.

sextante.com.br